육임신정경

무심주해

김성호 해역

BOOKK

육임신정경 무심주해

지은이 무심 김성호

발 행 2024년 1월 8일
펴낸이 한건희
펴낸곳 주식회사 부크크
출판사등록 2014.07.15.(제2014-16호)
주 소 서울특별시 금천구 가산디지털1로 119 SK트윈타워 A동 305호
전 화 1670-8316
이메일 info@bookk.co.kr

ISBN 979-11-410-6502-7

www.bookk.co.kr

大六壬古典 無諶注解集 第一

六壬神定經 無諶註解

육임신정경 무심주해

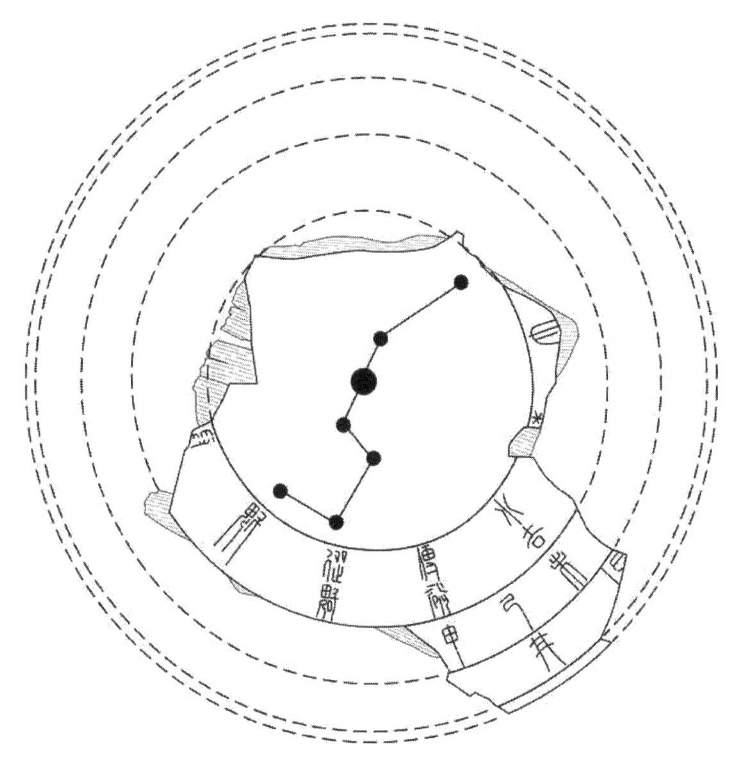

김성호 해역

차 례

육임신정경 무심주해를 내면서 ······ 6
일러두기 ······ 10

上卷 ······ 13
釋天 第一 (하늘을 설명하다) ······ 15
釋地 第二 (땅을 설명하다) ······ 17
釋四時 第三 (四時를 설명하다) ······ 18
釋日 第四 (천간을 설명하다) ······ 20
釋辰 第五 (진을 설명하다) ······ 24
釋陰陽 第六 (음양을 설명하다) ······ 28
釋五行 第七 (오행을 설명하다) ······ 30
釋五色 第八 (오색을 설명하다) ······ 32
釋五音 第九 (오음을 설명하다) ······ 35
釋五性 第十 (오성을 설명하다) ······ 39
釋六情 第十一 (육정을 설명하다) ······ 43
釋五味 第十二 (오미를 설명하다) ······ 47
釋四方 第十三 (사방을 설명하다) ······ 50
釋四門 第十四 (사문을 설명하다) ······ 52
釋德 第十五 (덕을 설명하다) ······ 54
釋刑 第十六 (형을 설명하다) ······ 56
釋害 第十七 (해을 설명하다) ······ 60
釋鬼 第十八 (귀를 설명하다) ······ 62
釋殺 第十九 (살을 설명하다.) ······ 63
釋數 第二十 (수를 설명하다) ······ 66

下卷 ······ 67
釋相生 第二十一 (상생을 설명하다) ······ 69
釋相克 第二十二 (상극을 설명하다) ······ 70
釋月將 第二十三 (월장을 설명하다) ······ 71
釋壁度 第二十四 (벽도를 설명하다) ······ 75
釋日度 第二十五 (일도를 설명하다) ······ 77
釋日出沒 第二十六 (일출몰을 설명하다) ······ 79
釋昏曉 第二十七 (혼효를 설명하다) ······ 82
釋天乙 第二十八 (천을을 설명하다) ······ 84
釋天官 第二十九 (천관을 설명하다) ······ 85
釋造式 第三十 (조식을 설명하다) ······ 90
釋用式 第三十一 (용식을 설명하다) ······ 93
釋避忌 第三十二 (피기를 설명하다.) ······ 98
釋次客 第三十三 (차객을 설명하다) ······ 99
釋次籌 第三十四 (차주를 설명하다) ······ 101
釋行年 第三十五 (행년을 설명하다) ······ 102
釋將傳 第三十六 (천장과 삼전을 설명하다) ······ 103
釋神變 第三十七 (천신의 변화를 설명하다) ······ 105
釋常例 第三十八 (상례를 설명하다.) ······ 106
釋卦略 第三十九 (괘략을 설명하다.) ······ 108

부록 ······ 113
景祐六壬神定經 御製序 ······ 115
景祐六王神定經 跋 ······ 117

육임신정경 무심주해를 내면서

음양오행의 기본만 알고 있던 30여 년 전 대학 시절에 명리학을 배우고 계시던 부친이 소장하고 계시던 육임신과정단법을 꺼내 읽다가 천장과 천신이 등장하는 책의 내용에서 철학이 아니라 주술적 역서라 생각하고 보지 않았었다. 같은 해 부산역 앞의 포교원에서 신묘하게 오는 손님을 보고 무엇 때문에 왔고 어떻게 될 것인지 정단하는 스님에게 어떻게 알게 되는지 물어본 것이 나와 대육임의 인연이었다.

그 인연이 있어서인지 30여 년이 흘러 다시 책을 꺼내 배우다가 사부를 모시게 되었다. 그러나, 우리나라에는 육임 서적이 너무 적고 그나마 일부 술사들 사이에서 비기(祕技)와 같이 전승된다는 사실을 알게 되어 중국 사이트 곳곳을 뒤지며 공부하였다.

육임의 천문학과 술수학(術數學) 배경인 공학으로 박사를 딴 필자이지만, 매력적이고 그 풀이의 과정에서 논리와 체계성이 대단하다 느껴졌다. 그러나 포괄적으로 물상을 받아들이고 다양한 고전을 읽어 단단한 바닥을 다지지 않는 이상 나아가기 어려웠다. 그나마 송나라 소언화, 능복지, 명나라 곽재례 등 대가들의 정리된 육임 경전을 통하여 아직 우리는 기을임(奇乙壬) 삼식 중 인사에 있어서 최고라는 육임을 배울 수 있어 다행이라 생각한다.

비인부전(非人不傳)이라 하듯이 정단법의 요체를 아무에게나 전하는 것이 두려워서 수많은 고전을 번역하고 전하는 것을 걱정하기도 하였고, 아울러 짧은 한문 번역 실력으로 정확한 번역을 하지 못할 것을 걱정하면서도 용기를 내어 주해집을 내기로 결심하였다.

무심주해집은 역대 중국에서 전해오는 육임 고전 중에서 술사에게 도움을 줄 수 있는 고전을 선별하여 번역하고 주해할 예정이다. 비록 한문 번역 실력에 뛰어나지 못하여 원문을 같이 실어 그 본래의 뜻을 직접 살펴볼 수 있도록 하였다. 그러다 보니 간혹 간체로 쓰여진 한자가 포함되기도 하였다. 주해는 최대한 정확한 출처를 찾아 넣기 위해 노력하였다.

당연히 한 권의 고서로 육임을 전부 익힐 수는 없을 것이다. 정단 사례를 포함하여 중요하다 생각되는 육임 고전을 앞으로도 계속 번역하고 소개할 예정이며 우리나라의 육임 고서들도 번역하고 주해할 생각이다.

주해집의 첫 권인 육임신정경은 송대에 저술된 것이다. 청나라 말기 문인이자 서화가인 조지겸이 10권 중 두 권을 구하여 소개한 것이 현재까지 알려졌고 2014년 상해도서관에서 필사본 10권이 발견되어 비교한 후 육임신정경이 맞는 것으로 밝혀져 현재는 10권이 모두 있다.

본 주해서는 상해도서관본을 근간으로 한 것은 아니나 조지겸이 구한 두 권의 육임신정경 상하권은 상해도서관본과 동일하니 큰 차이가 없을 것이다. 나머지 8권에 대한 주해도 출판하도록 노력하겠다.

육임신정경 어제서(御製序)에 따르면 북송 때 태자 세마겸, 춘관 정권동, 판사대감 양유덕, 사천춘관 왕정립, 한림천관 문학정자 하심 등에게 찬하라고 명하고, 또 내시성 동두공봉관부 구당, 어락원 임승량, 등보, 황시계화 주유덕 등에게 명하여 그 공정을 총괄하게 한 후, 자선당에 시켜 수개월에 걸쳐 완성하게 한 대목이 있어[1] 그 편찬 연대를 추정할 수 있다.

육임은 음양오행으로 길흉을 점치는 술수의 일종으로 기문둔갑(奇門遁甲), 태을(太乙)과 합하여 삼식(三式)이라 한다. 어떤 사람은 육임이 황제와 구천현녀에게서 전해졌다고도 하는데, 그 내용으로 보아 결코 후대의 술사 혼자서 만들 수 있는 수준을 뛰어넘는 것은 확실하다.

육임에 대한 기록은 한나라 때 오월춘추 월절서에 기록이 있으며, 수서·경적지에도 육임식경잡점, 육임석조 등이 실려 있다. 당나라 왕건의 시 「빈거[2]」에 "요즘 몸이 건강하지 않아 때론 육임점(六壬占)"이라는 대목이 있는 것을 보면 당나라 때 이미 육임이 유행했음을 알 수 있다.

육임신정경은 송나라 때까지의 육임을 총정리하여 편찬한 것으로 다른 술수들이 그러하듯이 음양오행에 뿌리를 두고 있다. 후대에는 주역과 비교하는 대목들도 있어 주역에서 파생된 점술로 볼 수 있는데 그것이 사실인가는 여전히 연구 과제로 남아 있다. 오행의 첫번째는 물(水)이며 음인 계수(癸水)는 버리고 양인 임수(壬水)을 취하면 임신(壬申), 임오(壬午), 임진(壬辰), 임인(壬寅), 임자(壬子), 임술(壬戌)이 있는데 이를 육임(六壬)이라 한다.

월장과 점시를 사용하고 천반(天盤)과 지반(地盤)으로 천지반(天地盤)을 만들어 정단일의 간지(干支)로 사상을 만들고 다시 이

---

1) 乃命太子洗馬兼 春官 正權同 判司大監 楊維德, 司天春官 王正立, 翰林天官文學正字 何諶 等選集, 又遣命 內侍省 東頭供奉官符 勾當 御樂院 任承亮, 鄧保, 皇市繼和 周維德 等 總其工程, 給資善堂庀事, 數月書成.

2) 贫居: 近来身不健, 时就六壬占

를 기반으로 삼전을 만들어 길흉을 판정하는 것이 육임(六壬)이다. 육임을 달리 대육임(大六壬)이라고 하며, 간략히 정리한 소육임(小六壬), 육임금구결 등도 있다.

특히, 간지로부터 4과를 얻는 것은 "태극생 양의, 양의 생 사상(太極生兩儀, 兩儀生四象)"과 다르지 않으며, 발용으로부터 삼전(三傳)에 이르는 것은 "일생이, 이생삼, 삼생만물(一生二, 二生三, 三生萬物)"의 뜻과 통한다.

사부님께서 가끔 물어보셨다. 술사가 좋은지 학인이 좋은지. 학인으로 더 많이 공부하고 다른 술사들의 점험을 배우고 비교해 보지 않으면 좋은 술사로 성장할 수 없다고 생각했다. 천성이 배우는 것을 좋아하기에, 배움에 경계를 두지 않다고 살고 있다 보니, 공학을 전공한 박사가 동양 과학인 육임을 배울 수 있게 된 것이 생각이며 이것은 나에게 개인적으로 더없는 행운이라 생각하고 있다.

술사로서 매일 정단도 하고, 더 많은 현대적 해석을 위하여 중국 유명 술사들의 사례를 찾아 배우는 등 열심히 노력하는 중이니, 비록 이 책에 부족함이 많더라도 너그러이 보아주시고, 언제나 기쁜 마음으로 감사하게 받아들일 것이니 더 많은 질책을 가하여 주기 바랍니다.

癸卯年 甲子月 季冬前

無諶 金成浩

일러두기

육임신정경 무심주해에는 오행의 명칭 금, 수, 목, 화, 토는 한자와 한글이 혼용되어 표기되었다.

간지 등의 표기는 한자, 한글을 혼용하였으니, 원문을 참조하여 볼 필요가 있다. 이미 명리학, 육임, 기문둔갑을 공부하는 학인들은 어려움이 없을 것이다.

오음의 궁, 상, 각, 치, 우의 궁(宮)과 토의 궁(宮), 궁궐의 궁(宮)은 모두 발음이 같아서 한글로만 표기하는 경우 읽고 해석하는 데 문제가 있을 수 있어, 한글 한자가 혼기되어 있음을 양해 바란다.

오행의 사상과 철학을 오래동안 살펴보면, 오음(五音)편에서 언급하듯이 소리의 유사성으로도 상(象)을 구분하기도 한다. 오행은 세상 만물의 근간을 꿰뚫는 철학이며, 오행을 기반으로 동질성을 구분하고 하는 경우 물리적 성질뿐만 아니라 발음에 따라 구분하기도 한다.

한글이 이러한 발음 오행을 극대화하여 정리한 것이기도 하다. 그러다 보니 하나의 발음으로 여러가지 오행이 동시에 설명이 되지만 오히려 이러한 포괄성이 공부를 방해하기도 한다.

육임신정경 일 권에 나오는 기본 이론과 같이 보다 더 넓은 시야로 오행을 바라볼 수 있어야 육임을 이해하는 깊이가 더 깊어질

것임은 자명하다.

육임을 상세한 해석이 가능하도록 미분하여 보기도 하고, 더 크게 적분하여 통찰할 수도 있어야 육임과 오행의 상관성을 깊이 이해할 수 있고, 동양 역학의 맛을 더 깊이 느끼게 될 것으로 생각한다.

上卷

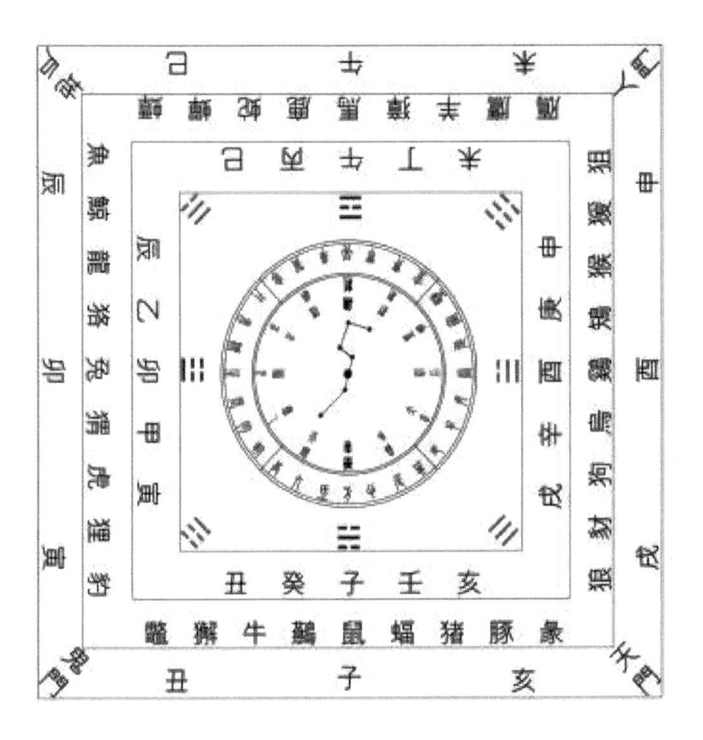

제30 조식의 천지반

釋天 第一 (하늘을 설명하다)

乾鑿度曰
氣象未分, 謂之太易 (謂始生於玄牝).
元氣始萌, 謂之太初 (陰陽初生).
氣象之端, 謂之太始 (始有淸濁之形).
形變有質, 謂之太素 (淸濁己分).
形質己具, 謂之太極 (二儀初立).
건착도에 이르기를,
기와 상이 분리되지 않으면 태역이라 한다(현빈에서 태어나기 시작한 것을 말한다).
원기가 싹트기 시작하는 것을 태초라 한다(음양이 처음으로 생겼다).
기상의 끝을 태시라 한다(청탁의 형이 생기기 시작한다).
형이 변하여 질이 있으면 태소라 한다(청탁이 이미 나누어진다).
형질이 이미 갖추어지면 태극이라 한다(양의[1]가 처음으로 이루어졌다).

釋名曰 天, 坦也, 坦然而高遠也.
석명에 이르기를 하늘은 탄이다. 탄연[2]하고 고원하다.

物理論曰 水土之氣, 升而為天.
물리론에 이르기를 水土의 기운이 솟아올라 하늘이 된다.

桓譚新論曰 天以為蓋左旋, 日月星辰, 隨而東西.
환담신론에 이르기를 하늘은 왼쪽으로 돌아 덮으니, 일월성신이 동

1) 음양, 낮과 밤을 나타낸다.
2) 평탄함.

에서 서로 따라 돈다.

虞喜曰 天確乎在上, 有常安之形, 故天行健而不息也.
우희에 이르기를 하늘은 확실히 위에 있고, 항상 같은 형상이다, 고로 하늘의 움직임은 꿋꿋하고 쉬지 않는다.

尚書考靈曜曰 觀二儀之旋, 昏明之時.
상서고영요에 이르기를 양의[3]의 회전에 따라, 어두움과 밝음의 때를 보여준다.

禮記曰 天之道, 高也, 明也, 悠也, 久也.
예기에 이르기를 하늘의 도는 높고, 밝고, 멀고, 오래다.

易曰 天垂象, 見吉凶. 故後世聖人造式, 以楓子為天, 圓其質, 法天而動, 以取其義也.
역에 이르기를 하늘에 드리운 상으로 길흉을 본다. 고로 후세 성인이 식을 만들 때, 단풍나무로 하늘 삼고, 그 둥근 모양, 하늘의 움직이는 법으로 그 뜻을 취했다.

3) 이의(二儀): 해와 달을 나타낸다.

釋地 第二 (땅을 설명하다)

昔大禹觀於洛河而受錄, 於寰瀛之內, 可得而言也. 地有四表四瀆, 八紘之外, 名為八極, 地不足東南. 其廣東西二億三萬二千里, 其南北三億三萬一千三百里. 南北為經, 東西為緯. 乃曰地有十二辰, 王侯之所國也.

옛날 우임금이 하도 낙서를 보고 받아 기록하여, 온 세상에 알게 된 것을 전하였다. 땅에는 사표[4] 사독[5](四表四瀆)이 있고, 팔굉의 바깥 너른 세상을 팔극이라 부르며, 동남에는 땅이 적다. 그 넓이가 동서로 2억 3만 2천 리, 남북으로 3억 3만 1천 3백 리이다. 남북을 경, 동서를 위라 한다. 이에 땅에 십이진[6]이 있으니, 왕과 제후의 나라이다.

昔黃帝旁行天下, 方制萬里, 得百里之國萬區. 則周易所謂首出庶物, 萬國咸寧者也. 故後世聖人造式. 以棗心為地, 方其體[1]. 法地而靜, 其義在茲爾.

옛날 황제가 천하를 주유하여 사방 만리를 제압하여 일만 구역의 나라 일백리를 얻었다. 주역이라는 서물[7]이 처음 나와 만국을 모두 편안하게 했다. 따라서 후세에 성인이 식을 만들 때, 대추나무로 사각형을 만들어 땅으로 삼으니 사각형이 그 모양[8]이다. 땅의 도리는 고요함이고, 그 뜻은 무성함이다.

---

4) 사방의 바깥이라는 뜻으로 천하를 나타내는 말.
5) 나라의 운명과 관계되어 있다고 여겨지는 네 개의 강. 또는 별자리
6) 십이진을 처음으로 우임금이 만들었다고 기술하는 것이다.
7) 상서로운 물건.
8) 방은 각진 모서리를 말한다. 사방은 따라서 네 개의 각진 모서리가 있는 것이니 땅은 네 개의 모서리가 있어야 한다.

釋四時 第三 (四時를 설명하다)

淮南子曰 天地之道, 襲精為陰陽, 專精為四時. 四時者, 春夏秋冬也.
회남자[9]에 이르기를 천지의 도는 정을 받아 음양이 되고, 정이 모여 사시가 된다. 사시는 춘하추동이다.

春

班固曰 春為少陽也, 主東方. 東, 動也, 陽氣動物, 於時為春. 春蠢也, 萬物之生, 蠢然而運動.
반고[10]가 말하기를 봄은 소양이고, 주는 동방이다. 東은 움직이는 것이며, 양기가 사물을 움직이는 것이며, 계절로는 봄이다. 봄은 꿈틀거리며 만물이 태어나고, 꿈틀거리니 곧 움직임이다.

夏

班固曰 夏為太陽也, 主南方. 南, 任也. 陽氣任養萬物, 於時為夏. 夏假也, 萬物假火乃宣平.
반고가 말하기를 여름은 태양이며, 주는 남방이다. 南은 책임지는 것이다. 양기가 책임지고 만물을 키우는 것이며, 계절로는 여름이다. 여름은 베푸는 것이다. 만물에 불을 베푸니 이는 바로 고르게 베푸는 것이다.

---

9) 회남자(淮南子)는 전한(前漢) 회남왕(淮南王) 유안(劉安)이 편찬한 일종의 백과사전으로, 총 21권이다. 여씨춘추(呂氏春秋)와 함께 제자백가 중 잡가(雜家)의 대표작이다. 유안이 전국의 빈객과 방술가(方術家)를 모아서 편찬한 것으로, 한서 회남왕전(淮南王傳)에는 내서(內書) 21편, 외서(外書)〉 다수, 중편(中篇) 8권을 제작했다고 했는데 현재는 이 중 내서 21권만이 전한다.

10) 반고(班固): 東漢의 사학자이자 문장가

秋

班固曰 秋, 為少陰也, 主酉方. 酉, 零也. 陰氣零落, 於時為秋. 秋揫也, (顏師古曰 揫, 子由切). 萬物收斂乃成熟.

반고가 말하기를 가을은 소음이며, 주는 서방이다. 酉는 떨어짐이다. 음기가 떨어져 초목이 시들어 떨어지며, 계절로는 가을이다. 가을은 거두는 것이다 (안사고가 말하기를 揫는 씨앗으로 떨어지는 것이다). 만물이 수렴하여 성숙하는 것이다.

冬

班固曰 冬, 為太陰也, 主北方. 北, 伏也. 陽氣伏於下, 於時為冬. 冬, 終也. 萬物終藏, 乃不可稱.

반고가 이르기를 겨울은 태음이 되며, 주는 북방이다. 北은 엎드림이다. 양기가 아래로 엎드리니 계절로는 겨울이다. 冬은 끝남이다. 만물이 끝나고 감추어지는 것이다.

四季

班固曰 中央者, 陰陽之內, 四方之中. 經緯通達, 乃能端直, 於四時為四季. 土主稼穡[11] 蓄息也.

반고가 이르기를 중앙이고 음양의 안쪽이며, 사방의 가운데이다. 상하 좌우가 막힘없이 통하며 끝이 곧게 뻗어 있고, 계절로는 사계가 된다. 土는 가색이고 번식이다.

---

11) 가색: 농사, 파종과 수확

釋日 第四 (천간을 설명하다)

黃帝遣大撓造甲子, 大撓以日之功能生萬物, 故隨四時、因萬物而為名, 故成陰陽之施化, 萬物之始終, 十干之象具焉.

황제가 남기고, 요임금이 갑자를 만들었다. 요임금은, 태양의 힘으로 만물을 생하고, 계절이 변하기 때문이고, 만물이 이름을 가지게 되는 까닭은, 음양이 생겨 펼쳐지고 변하는 이치이니, 만물의 처음과 끝은 十干의 모습이라 하였다.

甲

春秋元命包曰 甲者, 狎也. 春即開, 冬即合. 鄭司農[12]曰 甲者, 析也, 萬物甲析而後出. 班固曰 萬物出於甲也.

춘추원명포에 이르기를 甲은 터지는 것이다. 봄에는 열리고 겨울에는 합쳐진다. 정사농이 말하기를 甲은 갈라짐이다. 만물은 갑탁[13] 이후에 나온다. 반고가 말하기를 만물은 甲에서 나온다고 하였다.

乙

春秋元命包[14]曰 乙者, 屈也, 盤屈芒而欲伸. 鄭司農曰 乙, 軋也, 萬物自軋而出. 班固曰 萬物奮軋於乙.

춘추원명포에 이르기를 乙은 구부러지는 것이다. 구불구불한 벼보리의 수염이 펴지고자 하는 것이다. 정사농이 말하기를 乙은 삐걱거리는 것이다. 만물은 스스로 삐걱거리면서 나온다. 반고가 말하

12) 후한(後漢) 시대의 유학자인 정중(鄭衆). 대사농(大司農) 벼슬을 하여 정사농(鄭司農)이라 함.
13) 갑탁(甲坼): 씨앗이 갈라짐.
14) 춘추원명포(春秋元命包): 중국 한나라 때의 책

기를 만물은 乙에서 움직이며 삐걱거린다고 하였다.

丙

春秋元命包曰 丙者, 明也, 言太陽明盛. 鄭司農曰 丙, 炳也, 萬物盛茂, 炳然而明. 班固曰 萬物明炳於丙.

춘추원명포에 이르기를 丙은 밝음이다. 이르듯이 태양이 밝고 찬란한 것이다. 정사농이 말하기를 丙은 빛나는 것이니 만물이 무성하고 빛나므로 밝은 것이다. 반고가 말하기를 만물은 丙에서 밝고 빛난다고 하였다.

丁

春秋元命包曰 丁者, 強也, 言萬物此時強盛. 鄭司農曰 萬物長養, 於此剛強. 班固曰 萬物強盛於丁.

춘추원명포에 이르기를 丁은 굳센 것이니 만물이 이때 강성하다. 정사농이 말하기를 만물이 크게 자라 이때 단단하고 강하다. 반고가 말하기를 만물은 丁에서 강하고 성하다고 하였다.

戊

春秋元命包曰 戊者, 勉也, 土勉勵萬物所生. 鄭司農曰 戊、茂也, 言萬物於此盛茂. 班固曰 萬物豐茂於戊.

춘추원명포에 이르기를 戊는 힘쓰는 것이니 흙이 부지런히 힘쓰니 만물이 태어나는 것이다. 정사농이 말하기를 戊는 우거진 것이니 만물이 무성한 것을 말한다. 반고가 말하기를 만물은 戊에서 풍성하고 무성하다고 하였다.

己

春秋元命包曰 己者, 甘也, 言萬物既生, 人皆甘之. 鄭司農曰 己者, 紀也, 言萬物皆有條貫成紀. □□□□□. 班固曰 萬物出於甲,終於己也.
춘추원명포에 이르기를 己는 만족하는 것이니, 만물이 이미 태어난 것으로, 사람이 모두 만족하는 것이다. 정사농이 말하기를 己는 실마리이다. 만물이 모두 가지를 이루어 실타래를 이룬 것이다. 반고가 말하기를 만물은 甲에서 나와 己에서 마친다고 하였다.

庚

春秋元命包曰 庚者, 更也, 言萬物至秋秀實. 鄭司農曰 庚, 更也, 萬物至秋更空也. 班固曰 萬物欲斂更於庚也.
춘추원명포에 이르기를 庚은 고치는 것이니, 만물이 가을에 이르러 이삭이 맺고 열매가 매달리는 것을 말한다. 정사농이 말하기를 庚은 고치는 것이니, 만물이 가을이 되어 다시 사라지는 것이라 하였다. 반고가 말하기를 만물은 庚에서 거두어 바꾸고자 한다고 하였다.

辛

春秋元命包曰 辛者, 新也, 言萬物更前體而新. 鄭司農曰 萬物秀而新. 班固曰 萬物悉新於辛也.
춘추원명포에 이르기를 辛은 새로운 것이다. 만물이 예전 모양으로 다시 새로워지는 것을 말한다. 정사농이 말하기를 만물이 잘 익어 솟아나 새롭다. 반고가 말하기를 만물은 辛에서 모두 새로워진다고 하였다.

壬

春秋元命包曰 壬者, 任也, 萬物於此時而懷妊. 鄭司農曰 言冬時閉藏, 萬物懷妊於下. 班固曰 萬物懷孕於壬.
춘추원명포에 이르기를 壬은 임신하는 것을 말하니 만물이 이때 회임한다. 정사농이 말하기를 겨울에 닫아 감추는 것, 만물은 그 아래에서 회임하는 것이라 하였다. 반고가 말하기를 만물은 壬에서 회임한다고 하였다.

癸

春秋元命包曰 癸者, 揆也, 言萬物成熟, 揆而藏之. 鄭司農曰 物懷任, 於此時揆然萌芽. 班固曰 萬物陳揆於癸.

춘추원명포에 이르기를 癸는 관리하는 것으로, 만물이 성숙하여 헤아려 저장하는 것을 말한다. 정사농이 말하기를 만물이 회임하여 이때 새싹을 헤아려 관리한다. 반고가 말하기를 만물은 癸에서 씨앗을 보따리에 담아 관리한다.

釋辰 第五 (진을 설명하다)

易曰 分陰分陽, 為用柔剛. 謂甲、丙、戊、庚、壬、五干為陽日, 為剛日. 子、寅、辰、午、申、戌、六支為陽辰, 為剛辰. 謂乙、丁、己、辛、癸、五干為陰日, 為柔日. 丑、卯、巳、未、酉、亥、六支為陰辰, 為柔辰.

易에서 이르기를 음으로 나뉘고 양으로 나뉘니 부드럽고 강함으로 사용되어 진다. 甲, 丙, 戊, 庚, 壬을 일컬어 다섯 천간의 양일, 강일이라 한다. 子, 寅, 辰, 午, 申, 戌을 여섯 지지를 양진, 강진이라 한다. 乙, 丁, 己, 辛, 癸를 다섯 천간의 음일, 유일이라 한다. 丑, 卯, 巳, 未, 酉, 亥를 여섯 지지를 음진, 유진이라 한다.

子

班固曰 萬物孳生萌於子. 樂志曰 子者, 孳也. 謂陽氣至子, 更孳生也.

반고가 말하기를 만물은 子에서 새싹이 태어난다. 악지[15]에 이르기를 子는 새끼를 낳는 것이다. 子에 이르러 양기가 다시 태어난다.

---

15) 악지(樂志): 진(晉)나라 책이다. 악지의 권22에 正月之辰謂之寅, 寅者津也, 謂生物之津塗也. 二月之辰名為卯, 卯者茂也, 言陽氣生而孳茂也. 三月之辰名為辰, 辰者震也, 謂時物盡震動而長也. 四月之辰謂為巳, 巳者起也, 物至此時畢盡而起也. 五月之辰謂為午, 午者長也, 大也, 言物皆長大也. 六月之辰謂之未, 未者味也, 言時萬物向成, 有滋味也. 七月之辰謂為申, 申者身也, 言時萬物身體皆成就也. 八月之辰謂為酉, 酉者緧也, 謂時物皆緧縮也. 九月之辰謂為戌, 戌者滅也, 謂時物皆衰滅也. 十月之辰謂為亥, 亥者劾也, 言時陰氣劾殺萬物也. 十一月之辰謂為子, 子者孳也, 謂陽氣至此更孳生也. 十二月之辰謂為醜, 醜者紐也, 言終始之際, 以紐結為名也. 라고 되어 있다.

丑

班固曰 萬物紐芽於丑. 樂志曰 丑者, 紐也. 言終始之際, 故以紐結為名也.

반고가 말하기를 만물은 丑에서 싹이 맺힌다. 악지에 이르기를 丑은 맺는 것이다. 끝과 시작의 사이를 이르는 것으로 맺어 묶이는 것을 이르는 것이다.

寅

班固曰 萬物引達於寅. 樂志曰 寅者, 津也. 謂生萬物之津途也.

반고가 말하기를 만물이 寅으로 끌어당겨 도달하는 것이다. 악지에 이르기를 寅은 나루이다. 만물의 나루와 뱃길을 만드는 것을 이름이다.

卯

班固曰 萬物冒茆於卯. 樂志曰 卯者, 茆也. 言陽氣生而孳茂.

반고가 말하기를 만물이 卯에서 우거져 덮인다. 악지에 이르기를 卯는 우거진 것이다. 양기가 생겨 우거지고 무성한 것을 말한다.

辰

班固曰 萬物振美於辰. 樂志曰 辰者, 震也. 謂萬物震動而長也.

반고가 말하기를 만물이 辰에서 아름다움을 떨치는 것이다. 악지에 이르기를 辰은 울려퍼짐이다. 만물이 몹시 울려 움직여 커가는 것을 일컫는다.

巳

班固曰 萬物已盛於巳. 樂志曰 巳者, 起也. 萬物已盛, 此時畢盡而起也.

반고가 말하기를 만물은 巳에서 이어져 무성하다. 악지에 이르기를 巳는 일어나는 것이다. 만물이 이미 무성하여 이때 최고에 다다라 일어나는 것이다.

午

班固曰 萬物蕚而布於午. 樂志曰 午者, 長也, 大也. 言萬物皆長大也.

반고가 말하기를 만물이 午에서 꽃받침을 펼친다. 악지에서 말하기를 午는 길고 큰 것이다. 만물이 모두 장대한 것을 말한다.

未

班固曰 萬物昧蔓於未(蔓者, 散也). 樂志曰 未者, 味也. 言萬物生成有滋味也.

반고가 말하기를 만물이 未에서 찢어지고 흩어진다 (蔓은 흩어지는 것이다). 악지에 이르기를 未는 맛이다. 만물이 생성되어 영양이 많고 맛있는 것을 말하는 것이다.

申

班固曰 萬物申堅於申. 樂志曰 申者, 身也. 言此時物身體皆成就也.

반고가 말하기를 만물은 申에서 펼쳐 단단해진다. 악지에 이르기를 申은 몸이다. 이때 만물은 신체가 모두 이루어진다고 말한다.

酉

班固曰 萬物皆熟於酉. 樂志曰 酉者, 猶也. 謂此時萬物皆猶縮也.

반고가 말하기를 만물은 酉에서 모두 이루어진다. 악지에 이르기를 酉는 머뭇거리는 것이다. 이때 만물은 모두 망설이고 줄어든다.

戌

班固曰 萬物畢入行於戌. 樂志曰 戌者, 滅也. 謂此時萬物衰滅也.
술 반고가 말하기를 만물은 戌에서 마치고 들어간다고 하였다. 악지에 이르기를 戌은 꺼지는 것이다. 이때 만물은 쇠약하고 없어지는 것을 말하는 것이다.

亥

班固曰 萬物該閡於亥. 樂志曰 亥者, 刻也. 言此時陰陽刻殺萬物也.
반고가 말하기를 만물은 亥에서 갖추어 잠근다. 악지에 이르기를 亥는 새기는 것이다. 이때 음양이 만물에 죽음을 새기는 것을 말한다.

釋陰陽 第六 (음양을 설명하다)

董鐘舒[16] 曰 王者欲有所為, 宜求其端於天.
동종서에 이르기를 왕은 하고자 하는 바가 있어도, 먼저 하늘에 그 시작을 구한다고 하였다.

天道大者在於陰陽, 陽為德, 陰為刑, 刑主殺, 德主生. 陽常居大夏, 而以生育長養為事. 陰常居大冬, 而積於空虛不用之處. 以此見天之任德不任刑也. 陽出布施於上, 而主歲功. 陰入伏藏於下, 而時出佐陽, 陽不得陰之助, 亦不能獨成歲功.
하늘의 도가 큰 것은 음양이 있기 때문이다. 양은 덕이요 음은 형이다. 형은 죽음이고, 덕은 생명이다. 양은 언제나 한 여름에 머물며, 생육하고 크게 키워가는 것이 일이다. 음은 한 겨울에 머물러 일하는데, 공허한 쓰일 데 없는 곳에 쌓는 것이다. 이를 보면 하늘이 덕을 행하며 형을 행하지 않는 것이다. 양은 위로 펼쳐져 나오는 것이며, 주는 한 해의 공적이다. 음은 아래로 엎드리고 감추어

---

16) 한나라의 책이다. 동중서에 "臣謹案春秋之文, 求王道之端, 得之於正. 正次王, 王次春. 春者, 天之所為也 ; 正者, 王之所為也. 其意曰, 上承天之所為, 而下以正其所為, 正王道之端云爾. 然則王者欲有所為, 宜求其端於天. 天道之大者在陰陽. 陽為德, 陰為刑 ; 刑主殺而德主生. 是故陽常居大夏, 而以生育養長為事 ; 陰常居大冬, 而積於空虛不用之處. 以此見天之任德不任刑也. 天使陽出布施於上而主歲功, 使陰入伏於下而時出佐陽 ; 陽不得陰之助, 亦不能獨成歲. 終陽以成歲為名, 此天意也. 王者承天意以從事, 故任德教而不任刑. 刑者不可任以治世, 猶陰之不可任以成歲也. 為政而任刑, 不順於天, 故先王莫之肯為也. 今廢先王德教之官, 而獨任執法之吏治民, 毋乃任刑之意與! 孔子曰「不教而誅謂之虐.」虐政用於下, 而欲德教之被四海, 故難成也."라는 부분이 있다.

들어가는 것이며, 계절에 따라 양을 도우니, 양은 음의 도움을 받지 않고 홀로 한 해의 공적을 이룰 수 없다.

王者承天意以後事, 故務德教而省刑罰. 刑罰不可任以治也, 猶陰之不可任成歲也.

왕은 하늘의 뜻을 이어받아 일하기 때문에 덕을 가르치고 나서야 형벌로 반성하게 한다. 형벌은 다스리는 방법으로 사용하지 않는 것이고, 음으로 한 해의 성취를 맡게 하지 않는다.

釋五行 第七 (오행을 설명하다)

白虎通曰 五行者，謂水、火、木、金、土也．言五行相生，為天行氣之義也．地承天，猶妻之事夫，臣之事君也．

백호통[17]에 이르기를 오행은 水、火、木、金、土를 이르는 것이다. 오행상생이라는 것은 하늘이 기운을 움직이는 뜻이다. 땅이 하늘을 받드는 것은, 마치 아내가 남편의 뜻을 받드는 것과 같고, 신하가 임금의 뜻을 받드는 것과 같다.

水

天以一生水於北方．北方者，陰氣，在黃泉之下．任養萬物．水之為言準也．許慎曰:水準也，平也．

하늘이 처음으로 북방에 水를 생하였다. 북방은 음기이며 황천[18]의 아래에 있다. 만물을 키우는 것을 담당한다. 水는 말하자면 고른 것이다. 허신[19]이 말하기를 水는 고르며, 평평하다.

火

天以二生火於南方．南方者，陽，在上，萬物垂枝．火之為言委隨也．化也．陽氣用事，萬物變化也．許鎮曰:火，燬也，炎而上也．

하늘이 두 번째로 남방에 불을 생하였다. 남방은 양이며 위에 있으며, 만물이 가지를 드리우는 것이다. 火를 말하자면, 맡기고 따르는

17) 白虎通 또는 白虎通義는 총 4권으로 이루어진 중국 고대 책이다. 중국 동한 한장제(漢章帝) 건초 4년에 유가 경전을 놓고 토론한 내용이다.
18) 사람이 죽으면 간다고 하는 세상. 명도, 저승
19) 허신((許愼) : 중국 후한의 경학자. 동한 시기의 관리이자 문자학자. 주요 저서로 설문해자(說文解字)가 있다.

것이다. 변화하는 것이다. 양기를 사용하면 만물은 변한다. 허신이 말하기를 불은 불타는 것이며, 불꽃은 위로 오르는 것이라 하였다.

木

天以三生木於東方. 東方者, 陽之氣始動, 萬物始生. 木之為言觸也, 陽氣觸物而生也. 許慎曰 木冒也, 冒地而生也.

하늘이 세 번째로 동방에 木을 생하였다. 동방은 양의 기운이 태동하는 곳이며, 만물이 생하기 시작하는 것이다. 木을 말하자면, 닿는 것이며 양기가 만물에 닿으면 생한다. 허신이 말하기를 木은 무릅쓰는 것이며 땅을 무릅쓰고 생하는 것이다.

金

天以四生金於西方. 西方者, 陰始起, 萬物禁止. 金之為言禁也. 許慎曰 金, 禁也. 為進退之禁也.

하늘이 네 번째로 서방에 金을 생하였다. 서방은 음이 시작되어 일어나는 곳이며, 만물이 금지된다. 金을 말하자면, 그치는 것이다. 허신이 말하기를 金은 그치는 것이다. 앞으로 나아갔다 물러서는 것이 그치는 것이다.

土

天以五生土於中央. 中央者, 主吐含萬物. 土之為言吐也. 土者最大, 包含萬物. 將生者出, 將死者歸, 不嫌清濁.

하늘이 다섯 번째로 중앙에 土를 생하였다. 중앙이란 만물을 뱉어내고 품는 곳이다. 土를 말하자면, 뱉어내는 것이다. 土는 가장 크며 만물을 감싸 품는다. 무릇 생하면 나오고, 죽으면 돌아오고, 맑고 흐림을 싫어하지 않는다.

釋五色 第八 (오색을 설명하다)

傳曰 章為五色. 蔡邕曰 通於眼者為五色. 釋例曰 五方正色有五間, 色亦有五也.

전에 이르기를 표기(章)는 오색이다. 채옹[20]이 말하기를 눈을 통하는 것이 오색이다. 석례에 이르기를 오방에 정색이 다섯 가지, 간색 또한 다섯 가지가 있다고 하였다.

青(청)

東方之正色也, 象木葉青也. 釋例曰 甲木畏庚金, 故以乙妹嫁與庚為妻. 春木旺, 甲往召乙, 乙懷金氣以應甲, 故東方有間色綠也(甲青、乙碧).

푸른색은 동방의 정색이며, 나뭇잎의 푸른 형상이다. 석례에 이르기를 甲木은 庚金을 두려워하여, 乙木 누이동생을 庚金의 아내로 시집보낸다고 하였다. 봄은 木이 왕하고, 甲木이 가고 乙木이 오면, 乙木은 金의 기운을 품어서 甲木에 응한다. 따라서 동방은 간색이 초록이다. (甲은 청색, 乙은 벽색이다.)

赤(적)

南方之正色也, 象火光赤色也. 釋例曰 丙火畏壬水, 故以丁妹嫁與

---

20) 채옹(蔡邕, 133년~192년) : 중국 후한말의 학자, 문인, 서예가. 비백체를 창시하고 문장에 뛰어났다. 자는 백개(伯喈)이며 연주 진류군 어현(圉縣) 사람이다. 조정의 제도와 칭호에 대해 기록한 독단(獨斷), 시문집 채중랑집(蔡中郎集)이 있다. 전한의 개국공신 채인의 14세손으로 학문과 글씨에 뛰어난 재주를 가져 명성이 높았다. 서예의 기법인 영자팔법의 고안자라고도 알려져 있다. 훗날 서진 초의 명장 양호의 외할아버지이기도 하다.

壬為妻. 夏火旺, 丙往召丁, 丁懷水氣以應丙, 故南方有間色紅也(丙赤、丁紫).
붉은색은 남방의 정색이며, 불빛의 붉은 형상이다. 석례에 말하기를 丙火는 壬水를 두려워하여, 丁火 누이동생을 壬水의 아내로 시집보낸다 하였다. 여름은 火가 왕하며, 丙火가 가고 丁火가 오면, 丁火는 水氣를 품고 있어서 丙火에 응한다. 따라서 남방은 간색이 홍색이다. (丙는 적색, 丁는 자색이다.)

白(백)

西方之正色也, 象霜露白也. 釋例曰 庚金畏丙火, 故以辛嫁與丙為妻. 秋金旺, 庚往召辛, 辛懷火氣以應庚, 故西方有間色縹也(庚白、辛縹).
흰색은 서방의 정색이며, 이슬 서리의 흰 모습이다. 석례에 말하기를 庚金은 丙火를 두려워하여, 辛金 누이동생을 丙火의 처로 시집보낸다고 하였다. 가을은 金이 왕하며, 庚金이 가고 辛金이 오면, 辛金은 火氣를 품고 있어서 庚金에 응한다. 고로 서방은 간색이 옥색이다. (庚은 백색, 辛은 옥색이다.)

黑(흑)

北方之正色也, 象水漂渺也. 釋例曰 壬水畏戊土, 故以癸妹嫁與戊為妻. 冬水旺, 壬往召癸, 癸懷土氣以應壬, 故北方有間色綠也(壬黑、癸綠).
흑색은 북방의 정색이며, 물의 어렴풋이 뚜렷하지 않은 형상이다. 석례에 말하기를 壬水는 戊土를 두려워하며 癸水 누이동생을 戊土의 아내로 시집보낸다고 하였다. 겨울은 水가 왕하며, 壬水가 가고 癸水가 오면, 癸水는 土氣를 품고 壬水에 응한다. 따라서 북방은 간색이 녹색이다. (壬는 흑색, 癸는 녹색이다.)

黃(황)

中央之正色也，象土黃中通理也．釋例曰 戊土畏甲木，故以己妹嫁與甲為妻．季夏土旺，戊往召己，己懷木氣以應戊，故中央有間色紺也(戊黃、己絳)．

황색은 중앙의 정색이다. 土가 황색인 것은 가운데 이치가 있는 형상이다. 석례에 말하기를 戊土는 甲木을 두려워하여, 己土 누이를 甲木의 처로 시집보냈다고 하였다. 季夏는 土가 왕하고 戊土가 가고 己土가 오면, 己土는 木氣를 품고 戊土에 응한다. 따라서 중앙은 간색이 감색이다. (戊는 황색, 己는 진홍색이다.)

釋五音 第九 (오음을 설명하다)

傳曰 發為五音. 蔡邕曰 通於耳者為五音, 乃宮、商、角、徵、羽也.
전에 이르기를 소리(發)가 오음이 된다. 채옹이 말하기를 귀를 통하는 것이 오음이다. 이는 궁, 상, 각, 치, 우이다.

宮

班固曰 宮, 中也. 居中央, 暢四方. 唱始生, 為四聲綱也. 律歷志曰 宮屬土者, 以其最濁, 君之象也. 季夏之氣和, 則宮聲調, 宮亂則荒, 其君驕. 樂志曰 宮為君, 宮之為言躬也. 中和之道, 無往不理焉.

반고가 말하기를 궁은 중앙이다. 중앙에 머물고 사방으로 퍼진다. 노래가 처음 생기고, 사성의 벼리[21]가 된다. 율력지에 이르기를 궁은 토에 속하며, 가장 탁하며, 임금의 상이다. 계하의 기운과 어울리면 궁성이 조화롭고, 궁성이 어지럽고 거칠어지면 임금이 오만해진다. 악지에 이르기를 궁은 임금이며, 궁을 말하자면 자기 자신이다. 중화의 도는 불리하게 갈 바가 없다.

商

班固曰 商, 章度也(度火名切). 律歷志曰 商屬金者, 以其濁次宮, 臣之象也. 秋氣和, 則商聲調, 商亂則詖, 其宮壞. 樂志曰 商之為言強也, 謂金性堅強也.

반고가 말하기를 상은 장도[22]이다. (도는 화를 끝낸다[23].) 율력지[24]

---

21) 사성강(四聲綱)은 네 가지 소리의 그물, 벼리, 법도로 해석 가능하다. 중앙 궁성이 나머지 사성을 통치한다는 의미와 그래서 벼리가 된다는 것을 나타낸다.

에 이르기를 상은 金에 속하며, 궁 다음으로 탁하며, 신하의 象이다. 가을 기운이 온화하면, 상성은 조화롭고, 상이 어지러우면 삼가해야 하니 그 궁(宮)이 무너진다. 악지에 이르기를 상은 강함을 말하는 것이다. 금의 성질은 단단하고 강하다고 말한다.

角

班固曰 角, 觸也, 立也. 為宮物觸也, 而生載芒也. 律歷志曰 角屬木者, 以其清濁中次商, 民之象也. 春氣和, 則角聲調, 角亂則尤, 其人哀. 樂志曰 角為民之為言觸也, 謂象諸陽氣觸物而生也.

반고가 이르기를 각은 닿는 것이며, 세우는 것이다. 궁이 만물에 닿아 나는 것이며 까끄러운 것이 생긴다. 율력지에 이르기를 각은 木에 속하며, 그 청탁으로는 상 다음이며, 백성(民)의 상이다. 봄 기운에 온화하면 각성은 조화롭고, 각성이 어지러우면 원망하니, 사람이 슬프다. 악지에 이르기를 각은 백성이 되고, 말하자면 닿는 것이며, 상으로는 양기가 만물에 닿아서 만물이 생기는 것이라 하였다.

徵

班固曰 徵, 扯也, 物盛大繁祉也. 律歷志曰 徵屬火者, 徵事之象.

---

22) 장도는 계산, 측정, 규칙 또는 악곡의 단락을 말한다.

23) 도화명절(度火名切) 또는 도화각절(度火各切)이라 쓰인다. 장은 악장을 나타낸다. 도는 단위이다. 따라서 장도는 악장의 개수이다. 악장이 하나씩 끝나는 것으로 본다. 따라서 여름 화를 끝내는 것과 같이 장도도 끝내는 것이다.

24) 商은 言章이다. 만물이 성숙하면 장도가 가하다(商之爲言章也, 物成孰可章度也) 라고 한서 율력지에 있다. 바이두 백과사전에 "당나라 남탁의 염고록에 만약 곡을 만든다면 모두 후부와 자연스럽게 구성되며, 장도를 세우지 않는다. 적절한 장단을 취하고 산란한 소리를 참고하여 모두 중간 박자에 맞추어야 한다 (唐南卓 羯鼓录 "若制作调曲, 皆与胡部随意即成, 不立章度. 取适短长, 应指散声, 皆中点拍.)" 고 설명하고 있다.

夏氣和則徵聲調. 徵亂則哀, 其事傷. 樂志曰 徵為事也, **徵之為言止也**, 言萬物盛則止也.
반고가 말하기를 치는 찢는 것이며, 만물이 크게 번성하고 무성하여 행복한 것이다. 율력지에 이르기를 치는 火에 속하며 밝히는 일이다. 여름 기운이 온화하면 치성은 조화롭다. 치성이 어지러우면 슬프고, 다치게 된다. 악지에 이르기를 치성은 일이며, 멈추는 것을 말하며, 만물이 무성하여 멈추는 것이다.

羽

班固曰 羽, 宇也, 萬物聚藏宇覆也. 律歷志曰 羽屬水者, 以其最清, 物之象也. 冬氣和, 則羽聲調, 羽亂則危, 其財匱. 樂志曰 羽為物, 羽之為言舒也, 言陽複萬物, 孳育而舒生也.
반고가 말하기를 우는 집이며, 만물이 거두어 감추어지고 다시 집에 덮는 것이다. 율력지에 이르기를 우성은 水이며, 가장 맑은 만물의 상이다. 겨울 기운이 온화하면, 우성은 조화롭고, 우성이 어지러우면 위태롭고 재물은 없어진다. 악지에 이르기를 우성은 만물이며, 우성을 흩어지는 것을 말하는 것이다. 양기가 만물에 겹치는 것을 말하며, 낳고 키워, 흩어져 사는 것이다.

夫音聲者, 中於宮, 觸於角, 神於徵, 章於商, 宇於羽. 故四聲為宮紀.
무릇 음성이라는 것은 가운데 궁, 촉은 각, 신은 치, 장은 상, 집은 우에 있다. 사성은 궁성의 기록인 까닭이다.

協之五行, 則角為木, 五常為仁, 五事為貌. 商為金, 五常為義, 五事為言. 徵為火, 五常為禮, 五事為視. 羽為水, 五常為智, 五事為聽. 宮為土, 五常為信, 五事為思. 以君臣民事物言之, 宮為君, 商為臣, 角為民, 徵為事, 羽為物.

오행과 맞추면, 角은 木, 오상은 仁, 오사는 얼굴이다. 商은 金, 오상은 義, 오사는 말이다. 치는 火, 오상은 禮, 오사는 보는 것이다. 羽는 水, 오상은 智, 오사는 듣는 것이다. 宮은 土, 오상은 信, 오사는 생각이다. 임금, 신하, 백성, 일, 사물로 말하면, 宮은 임금, 商은 신하, 角은 백성, 徵는 일, 羽는 만물이다.

五音唱和有相衰焉, 故宮為君, 君乃臣民事物之體也.
오음이 어울려 노래하면 서로 약해지니, 궁은 임금이고, 임금이 신하, 백성, 일, 사물의 체가 되는 까닭이다.

是以 聞宮聲, 使人溫良而寬大. 聞商聲, 使大[25] 方廉而好義. 聞角聲, 使人惻隱而仁愛. 聞徵聲, 使人樂養而好施與. 聞羽聲, 使人恭謹而好禮節.
그래서 궁성을 들으면 사람이 따뜻하고 좋아지며, 관대해진다. 상성을 들으면 사람이 바르고 청렴해지며, 호의가 있게 된다. 각성을 들으면 사람이 슬퍼하고 근심하여, 어질고 사랑스러워진다. 치성을 들으면 사람이 즐거워지고 더불어 베품을 좋아하게 된다. 우성을 들으면 사람이 공경하고 예절을 좋아하게 된다.

25) 전후 맥락으로 보면 使大가 아니라 使人으로 보인다.

釋五性 第十 (오성을 설명하다)

傳曰 五性者, 五常之性也, 謂仁、義、禮、智、信也.
전에 이르기를 오성은 오상의 본성이다. 인, 의, 예, 지, 신을 말한다.

仁

詩緯曰 木神主仁. 言其葉可蔭, 其子可啖, 所以為仁. 黃帝曰 木主於肝. 素問曰 肝者, 魂之所居也.
시위에 이르기를 木은 仁이다. 나뭇잎이 덮어 가리고, 그 씨앗을 먹을 수 있는 것을 말하니 仁이다. 황제에 이르기를 木은 간(肝)이다. 소문[26]에 이르기를 간은 혼(魂)이 머무는 곳이라 하였다.

義

詩緯曰 金神主義. 言劍刀剛斷, 所以為義. 黃帝曰 金主於肺. 素問曰 肺者, 魄之所居也.
시위에 이르기를 金은 義이다. 칼과 검의 단단함과 자르는 것을 말하니 義이다. 황제에 이르기를 金은 폐라고 하였다. 소문에 이르기를 폐는 넋(魄)이 머무는 곳이라 하였다.

禮

詩緯曰 火神主禮. 言燭明不亂, 所以為禮. 黃帝曰 火主於心. 素問曰 心者, 神之所居也.
시위에 이르기를 火는 禮이다. 불꽃이 밝고 어지럽지 않은 것을

26) 황제내경 소문을 말한다.

말하여 禮이다. 황제에 이르기를 火는 심장이다. 소문에 이르기를 심장은 神이 머무는 곳이라 하였다.

智

詩緯曰 水神主智. 言方圜隨器, 所以為智. 黃帝曰 水主於腎. 素問曰 腎者, 精之所居也.

시위에 이르기를 水는 智이다. 각지고 둥근 그릇의 모양을 따르는 것을 말하니 智이다. 황제에 이르기를 水는 신장(콩팥)이다. 소문에 이르기를 신장은 정이 머무르는 곳이라 하였다.

信

詩緯曰 土神主信. 言能生育萬物, 所以為信. 黃帝曰 土主於脾. 素問曰 脾者, 意之所居也.

시위에 이르기를 土는 信이다. 능히 만물을 생육하니 信이다. 황제가 이르기를 土는 비장이다. 소문에 이르기를 비장은 의가 머무는 곳이라 하였다.

五行各正其性而相近也. 孔子曰 性相近也.

오행이 각각 그 본성이 바르고, 서로 가깝다. 공자께서 본성(性)은 서로 가깝다고 하였다.

水性滿無不鑒, 浸無不通, 方圓應變. 此信而近智也.

水의 본성은 가득하되 비추지 않음이 없고, 잠기지만 통하지 않음이 없고, 각지거나 둥글거나 응하여 변한다. 이를 두고 信이지만 智에 가깝다고 한다.

火性至明而不亂, 犯之者焚. 此禮而近義也.

火의 본성은 밝음에 이르러 어지럽지 않은 것이니, 그것에 어긋나는 것은 불사른다. 이를 두고 禮이지만 義에 가까운 것이라 한다.

木性主仁, 秋落春榮, 被雪而茂. 此仁而近信也.

木의 본성은 어짐이며, 가을에 떨어지고, 봄에 번영하고, 눈을 피하여 무성하다. 이를 두고 仁하지만 信에 가깝다고 한다.

金性誅怨反正, 此義而近禮也.

金의 본성은 원망을 베고 바르게 되돌리는 것이다. 이를 두고 義이지만 禮에 가깝다고 한다.

土性主厚而味甘, 物無不載. 此智而近仁也.

土의 본성은 두텁고 맛이 달며, 사물이 옮기지 않는 것이다. 이는 智이며 仁에 가깝다고 한다.

凡用其神, 皆主其事.

무릇 쓰임(用)에는 그 神이 있으며, 모두 그에 해당하는 일(事)이 있다.

假令正月甲子日寅時占事, 用午勝光火神加酉一, 上克下為用. 若占人性, 則執禮而不亂. 若占人疾, 其病在心.

가령 정월 갑자일 인시 점사[27]에서, 午 승광 火神이 酉에 加하니 상극하가 되어 발용한다. 만약 성격에 대한 점을 친다면 禮에 집착하여 어지럽지 않다. 만약 사람의 질병을 점친다면 그 병은 심장에 있다.

---

27) 甲子日 4局이다. 초전에 午火가 酉金에 가하였다. 干上은 그 사람의 상태를 나타내므로 午火가 酉金을 극하니 火의 성질을 가져 예의 바르다. 특히 酉金 상에 있으니 禮에 집착한다. 밤 정단에 백호가 말전에 승하고 초전 오화를 극한다. 백호가 剋하는 오화에 질병이 있으니 심장이다.

他皆準此例也.

다른 모든 경우도 이 예를 따른다.

釋六情 第十一 (육정을 설명하다)

禮曰 六情者, 好、惡、喜、怒、哀、樂之謂也.
예에 이르기를 여섯 가지 정은 좋고, 싫고, 기쁘고, 화나고, 슬프고, 즐거운 것을 말한다.

好

翼奉傳曰 北方之情好也. 好行貪狼, 申子主之. 孟康曰 北方水, 水生於申, 盛於子. 性觸地而行, 觸物而潤, 多所好. 故好則貪而無厭, 故為貪狼之號.
익봉전에 이르기를 북방의 정은 좋아하는 것이다. 좋아하는 것의 행(行)은 탐랑이며 申子이다. 맹강[28]이 말하기를 북방은 水, 水는 申에서 생겨나며, 子에서 성하다. 본성은 땅에 닿아 행하는데, 만물에 닿으면 윤기가 있으니, 모두가 좋아한다. 고로 좋아하는 것은 즉, 탐내고 싫어함이 없는 것이니 이름이 탐랑이다.

惡

翼奉傳曰 南方之情惡也. 惡行廉正, 寅午主之. 孟康曰 南方火, 火生於寅, 盛於午. 性炎猛無所容受, 故為惡. 其氣精專嚴整, 故為廉貞也.
익봉전에 이르기를 남방의 정은 싫어하는 것이다. 싫어하는 것의 行은 염정이며, 寅午이다. 맹강이 말하기를 남방은 火이며 火는 寅에서 생하고 午에서 성하다. 본성은 사납게 불타고 받아들이지 않는 것이니, 따라서 싫어하는 것이다. 그 氣와 精이 오로지 엄정

28) 맹강(孟康): 삼국시대 위나라의 인물이며, 자는 공휴(公休)로 맹자의 17대 손이다.

하니, 따라서 염정이다.

喜

翼奉傳曰 西方之情喜也. 喜行寬大, 巳酉主之. 孟康曰 西方曰金, 金生於巳, 盛於酉. 金性喜以利刃加行萬物, 故為喜. 利刃所加, 無不寬大, 故曰寬大.

익봉전에 이르기를 서방의 정은 기쁨이다. 기쁨의 行은 관대이며 巳酉이다. 맹강이 말하기를 서방은 金이며 金은 巳에서 생하며 酉에서 성하다. 金의 본성은 기쁘고 이로운 칼을 만물에 더하여 행하니 기쁨이다. 이로운 칼을 더하는 바는 관대하지 않음이 없기 때문에 관대라 말한다.

怒

翼奉傳曰 東方之情怒也. 怒行陰賊, 亥卯主之. 孟康曰 東方木, 木生於亥, 盛於卯. 木性受水氣而生, 貫地而出, 故為怒. 以陰賊害土, 故為陰賊也.

익봉전에 이르기를 동방의 정은 화냄이다. 화냄의 行은 음적이며 亥卯이다. 맹강이 말하기를 동방은 木이며 木은 亥에서 생하여 卯에서 盛한다. 木의 본성은 水氣를 받아들여 생하며, 땅을 뚫고 나오니, 따라서 화냄이다. 보이지 않게 土를 해치는 까닭에 음적이다.

哀

翼奉傳曰 下方之情哀也. 哀行公正, 戌丑主之. 孟康曰 下方謂南方與北方也, 陰陽互對, 故為下方. 陰氣所萌生, 故爲下方. 戌竊火, 丑竊金. 風角曰 金剛火強, 各歸其鄉. 故火刑於午, 金刑於酉. 金火之盛時而受刑, 至窮無所歸, 故曰哀也, 火性無所私, 金性方剛, 故曰公正也.

익봉전에 이르기를 하방의 정은 슬픔이다. 슬픔의 行은 공정이며,

戌丑이다. 맹강이 말하기를 하방은 남방과 북방이 함께 하는 것이며, 음양이 서로 마주하는 까닭에 하방이다. 음기는 싹이 움트니 하방이다. 戌은 火를 훔치고, 丑은 金을 훔친다. 풍각[29]에 이르기를 金은 단단하고 火는 굳세니, 각각 그 고향으로 돌아간다. 따라서 火는 午에 刑하고 金은 酉에 刑한다. 金火가 성할 때에 刑을 받으니, 끝에 이르러 돌아갈 곳이 없어 슬픔이라 한다. 火의 본성은 사사로운 바가 없고, 金의 본성은 각지고 단단한 까닭에 공정이라 일컫는다.

樂

翼奉傳曰 上方之情樂也. 樂行奸邪, 辰未主之. 孟康曰 上方謂東方與西方也, 陽氣所萌生, 故為上. 辰窮水, 未窮木. 風角曰 木落歸本, 水流趨末, 故木刑於亥, 水刑於辰. 盛衰各得其所, 故樂也. 水窮則無隙不入, 木本上出, 窮則傍行其枝, 故為奸邪也.

익봉전에 이르기를 위쪽 방향(上方)의 정은 즐거움이다. 즐거움의 行은 간사(奸邪)이고 辰未이다. 맹강이 말하기를 상방은 동방과 서방을 더불어 일컫는 것으로, 양기가 싹트는 곳이니 위가 된다. 辰은 水의 끝이고, 未는 木의 끝이다. 풍각에 이르기를 나무가 떨어져 뿌리로 돌아가고, 물이 흘러 끝에 다다르니, 木는 亥에서 刑하고, 水은 辰에서 刑한다. 성쇠(盛衰)가 각각 그러한 바를 얻으니 즐거움이다. 물은 끝에 다다라 들어가지 못하는 틈새가 없고, 나무는 뿌리에서 위로 나오고 끝에 다나르면 그 가지가 옆으로 가는

---

29) 풍각(風角): 고대 기후를 점치는 방법. 궁, 상, 각, 치, 우 오음(五音)으로 바람을 점쳐 길흉을 정하는 것. 당나라 유효공(劉孝恭)이 풍각 10권을 저술하였음. 후한서 낭의전(後漢書郎顗傳)에 "부친 종, 자는 중완이며 경씨의 주역을 배워 풍술과 점성술에 뛰어났다[父宗, 字中綏, 學京氏易, 善風角星標]." 이현(李賢)의 주에 "풍각은 사방 네모퉁이의 바람을 기다려서 길흉을 점치는 것이다[風角, 謂候四方四隅之風, 以占吉凶也]."라고 하였음.

까닭에 간사(奸邪)가 된다.

翼奉傳曰 夫占事皆以五行之情而斷之. 假令 用起火神則無私, 用起木神無險詖, 用起神后則貪淫欲.
익봉전에 이르기를 무릇 점사는 모두 오행의 情으로 판단해야 한다. 가령 발용이 火神이면 사사로움이 없고, 발용이 木神이면 음험하고 바르지 않음이 없고, 발용이 神后이면 음욕을 탐한다.

論曰 假令用起木神, 寅為雜木而文明. 寅生火, 故曰雜木而明. 卯為純木而為賊, 根荄有榮瘁, 故稱亥卯為陰賊. 木性惠狎歡喜, 人思息其下, 烏思棲其上, 惠狎也. 王者德之, 則連理生, 歡喜也. 信而受諫, 秋落冬瘁, 信也. 曲直任物, 鋸繩從諫也.
論에 이르기를 만일 발용이 木神이면 寅은 잡목이고 문명이다. 寅은 火를 생하니 잡목이 밝힌다고 말한다. 卯는 순수한 나무이니 도적이 된다. 뿌리가 무성하고 병드는 까닭에, 亥에게 卯는 음적이라 된다. 木의 본성은 은혜롭고 익숙하며, 기쁘고 즐거운 것이며, 사람은 나무 밑에서 살고, 까마귀는 나무 위에서 살고 있으니, 은혜롭고 편안하다. 왕이 이를 덕으로 삼으면, 생하는 이치로 이어지니 환희이다. 믿고 간하는 바를 받아들이니, 가을이면 떨어지고 겨울이면 여위니 信이다. 곡직이 만물을 맡으니, 끈을 잘라 간하는 바를 따른다.

占遇木者, 以木性而解之. 木主賊, 凌上而 虐下. 生而必仰, 凌上也. 深林無草, 虐下也.
점에서 木을 만나면 木의 본성으로 풀어야 한다. 木은 도적이며, 위를 업신여기고 아래를 학대한다. 생하면 반드시 머리를 들고, 위를 업신여긴다. 깊은 숲에는 풀이 없으니, 아래를 학대하는 것이다.

釋五味 第十二 (오미를 설명하다)

洪範曰 此法言天地之大法, 通於口者為五味. 五味者, 酸、咸、苦、辛、甘之屬也.
홍범에 이르기를 이 법은 천지의 큰 법이라 말한다. 입으로 통하는 것에는 오미(五味)가 있다. 오미는 신맛, 짠맛, 쓴맛, 매운맛, 단맛이 이에 속한다.

曲直作酸(木實之性). 月令曰 其味酸, 其臭羶. 通於口者曰味, 通於鼻者曰臭. 凡酸羶, 屬於木也. 白虎通經曰 木味酸, 東方萬物達生也. 酸者以達生也, 猶五味得酸乃通達也.
곡직은 신맛을 만든다(나무 열매의 본성이다). 월령에 이르기를 맛은 신맛이고 냄새는 누린내이다. 입을 통하면 맛이라 하고, 코를 통하면 냄새라 한다. 무릇 신맛 누린내는 木에 속한다. 백호통경에 이르기를 木은 신맛이고, 동방이며, 만물이 생한다. 신 것은 생에 이른 것이고, 오직 오미는 신 것을 얻으면 통달한다.

炎上作苦(焦氣之味). 月令曰 其味苦, 其臭焦. 凡焦味苦者, 皆屬於火也. 白虎通經曰 火味苦者, 南方萬物長養, 猶五味須苦可以養也.
염상은 쓴맛을 만든다(초기[30]의 맛이다). 월령에 이르기를 맛이 쓰고, 그을린 냄새이다. 무릇 탄 내와 쓴맛은 모두 火에 속한다. 백호통경에 이르기를 불이 쓴맛인 것은 남방이고 만물을 키우며, 오미는 고통이 따르기에 성장한다.

---

30) 초기(焦氣): 불태운 기운, 탄 기운, 탄내.

從革作辛(金之氣味). 月令曰 其味辛, 其臭腥. 凡臭腥味辛者, 皆屬於金也. 白虎通曰 金味辛者, 西方主殺. 萬物辛者, 所以傷殺之也. 猶五味得辛乃萎殺也.

종혁은 매운맛이다(금의 기운 맛이다). 월령에서 이르기를 맛이 맵고 냄새는 비린내이다. 비린내와 매운맛은 모두 金에 속한다. 백호통에 이르기를 金의 맛이 매운 것은 서방이고 죽이는 것이기 때문이다. 만물이 매운 것은 상처 입고 죽는 바이기 때문이다. 오미가 매운맛을 얻으면 시들고 죽어가기 때문이다.

潤下作咸(水鹵所生). 月令曰 其味咸, 其臭朽. 凡臭朽味咸者, 皆屬於水也. 白虎通曰 水味咸者, 北方主咸, 得咸所以堅也, 猶萬物得咸而堅出.

윤하는 짠맛이다(물의 소금에서 생긴다). 월령에서 이르기를 그 맛은 짜고, 냄새는 썩은 냄새이다. 무릇 썩은 냄새와 짠맛은 모두 水에 속한다. 백호통에 이르기를 물맛이 짠 것은 북방이 짜고 짠맛을 얻어 단단해지기 때문이다. 만물이 짠 것을 얻으면 단단해져서 나온다.

稼穡作甘 (甘味生於五穀). 月令曰 其味甘, 其臭香. 凡臭香味甘者, 皆屬於土也. 白虎通曰 土味甘, 居中央, 主中和也. 故甘猶五味, 以甘為主也.

가색은 단것을 만든다(단맛은 오곡에서 나온다). 월령에 이르기를 그 맛은 달고, 냄새는 고소하다. 무릇 고소한 냄새와 단맛은 모두 土에 속한다. 백호통에 이르기를 土는 맛이 달고, 중앙에 머물며, 주는 중화이다. 따라서 단맛은 오미에서 단맛이 주를 이룬다.

釋例曰 五色以主五味, 皆有象也. 假令占人, 用起木神, 則其性仁而惻隱. 在物而色青, 在味則酸, 在病則肝.
석례에 이르기를 오색은 오미를 주로 하여 모두 象이 있다. 가령 점에서 목신이 발용하면, 그 본성은 어질고 측은함이 있다. 사물은 색이 푸르고, 맛은 시며, 간에 병이 있다.

他皆仿此例而推之.
다른 모든 예도 이 예에 따른다.

釋四方 第十三 (사방을 설명하다)

傳曰 四方者, 東西南北之謂也.
전에 이르기를 사방은 동서남북을 이르는 말이다.

東

樂產曰 燧星見斗杓, 指於左, 萬物蠢然而生, 故變動為東. 東者, 動也.
낙산에 이르기를 수성[31]이 두병[32]을 보고 좌측에서 가리키면, 만물이 생하고자 꿈틀거린다. 고로 변하고 움직이니 동쪽이다. 동쪽은 움직임이다.

南

樂產曰 燧星見斗杓, 指於前, 純陽用事, 其氣覃敷, 萬物懷妊, 故變任為南. 南者, 任也.
낙산에 이르기를 수성이 두병을 보고 앞쪽을 가리키면, 순양이 일을 하고 그 기운이 담담하며 만물이 회임하니, 고로 변하여 담당하는 것이 남쪽이다. 남쪽은 임하는 것이다.

西

樂產曰 燧星見斗杓, 指於右, 萬物高齊, 故變齊為西. 西者, 齊也.
낙산에 이르기를 수성이 두병을 보고 오른쪽에서 가리키면, 만물은 바르게 가지런하니, 고로 변하여 가지런하면 서쪽이다. 서는 가지

31) 여기서 수성은 북극성을 말한다. 반딧불 별이다.
32) 두병은 북두칠성이다. 두표(斗杓)라고도 하며 달마다 왼쪽으로 십이진을 돌기 때문에 소세(小歲)라고도 한다.

런한 것이다.

北

樂產曰 燧星見斗杓, 指於後, 而陽氣潛伏, 故變伏為北. 北者, 伏也.

낙산에 이르기를 수성이 두병을 보고 뒤에서 가리키면, 양기가 가라앉아 엎드리니 고로 변하여 엎드리면 북쪽이다. 북은 엎드리는 것이다[33].

이십팔수

33) 블로그 https://blog.naver.com/ckehf1736/110100099417

釋四門 第十四 (사문을 설명하다)

黃帝曰 四門開張, 時有括藏. 昔大撓造甲子, 執十二辰於地, 開四門也.

황제에 이르기를 사문을 열어 펼치니 때에는 담아 감춤이 있다. 옛날 요임금이 갑자를 만들고 땅에 12진을 모아 4개의 문을 열었다.

天門

在西北. 西北者, 戌亥之間, 秋冬相交之際, 草木黃落, 天門之內, 故天門在西北也.

천문은 서북에 있다. 서북은 戌亥의 사이이며, 가을과 겨울이 서로 바뀔 즈음이며, 초목이 노랗게 떨어지니 천문의 안쪽이니, 따라서 천문은 서북에 있다.

地户

在東南. 東南者, 辰巳之間, 春夏相交之際, 萬物已生, 蟄蟲早出, 故地户在東南也.

지호는 동남에 있다. 동남은 辰巳의 사이로 봄과 여름이 서로 바뀔 즈음이며, 만물이 이미 나왔고, 땅에 숨었던 벌레가 빨리 나오니, 따라서 지호는 동남에 있는 것이다.

人門

在西南. 西南者, 申未之間, 秋夏相交之際, 萬物旣成而後死, 人之象也, 故人門在西南.

인문은 서남에 있다. 서남은 申未의 사이로 가을과 여름이 서로 바뀔 즈음이며, 만물이 이미 이루어져 나중에 죽는 것이니 사람의 모습이니, 고로 인문은 서남에 있다.

鬼門

在東北. 東北者, 丑寅之間, 春冬相交之際, 萬物死而得生, 鬼之象也, 故鬼門在東北.

귀문은 동북에 있다. 동북은 丑寅의 사이로 봄과 겨울이 서로 바뀔 즈음이며, 만물이 죽어 생을 얻기 때문에 귀의 모습이니, 따라서 귀문은 동북에 있다.

釋德 第十五 (덕을 설명하다)

傳曰 德者，得也，皆主救厄而濟溺．十干以陽德自處之，而陰德在陽也．

전에 이르기를 德은 얻는 것이며 모두 액에서 구하고 물에 빠진 것을 구하는 것이다. 십간 양덕은 자신이 머무는 곳이 덕이며, 음덕은 양에 있다.

十干德者，甲、丙、戊、庚、壬 陽干，德自處．乙德在庚，丁德在壬，己德在甲，辛德在丙，癸德在戊．

十干의 德[34]은 甲, 丙, 戊, 庚, 壬 陽干은 德이 자신이며, 乙의 덕은 庚, 丁의 덕은 壬, 己의 덕은 甲, 辛의 덕은 丙, 癸의 덕은 戊에 있다.

十二支德者，子在巳，丑在午，寅在未，卯在申，辰在酉，巳在戌，午在亥，未在子，申在丑，酉在寅，戌在卯，亥在辰．十二支德，歲月日時同用．

십이지덕[35]은 子는 巳, 丑은 午, 寅은 未, 卯는 申, 辰은 酉, 蛇는 戌, 午는 亥, 未는 子, 申은 丑, 酉는 寅, 戌은 卯, 亥는 辰에 있다. 십이지덕은 세월일시 같이 쓰인다.

假令 正月乙酉日未時 占戰爭，用傳送加乙，上克下，即申克乙．六乙之日，天乙乘神后加申，前四勾陳加乙，乙德在庚．雖有戰爭，遇德神相救，無所傷害也．

---

34) 간덕(干德)이라고 한다. 天干合한 후 陽干이 干德이다.
35) 지덕(支德)이라고 한다. 子의 지덕인 巳부터 십이지를 순행한다.

가령 정월 을유일 未시에 전쟁에 대한 점[36]을 치면, 전송이 乙에 가하니 상극하 즉, 申克乙이 되어 발용한다. 여섯 乙日은 신후가 申에 가하여 천을이 승하니[37], 4번째 앞의 구진이 乙에 加하니[38] 乙의 德은 庚에 있다. 비록 전쟁이 있어도, 덕신을 만나니 서로 구하며, 상해가 없다.

他準此例占.
다른 것도 이 점의 예를 기준으로 한다.

---

36) 乙酉日 9국 밤점이다. 日干 乙상에 申金이 加하고 貴人이 승한다.
37) 乙酉日 9국 낮점에는 子水가 申金에 加하고 天乙貴人이 승한다.
38) 밤정단에는 日干 乙木 에 申金 가하고 구진이 승한다.

釋刑 第十六 (형을 설명하다)

傳曰 刑者, 刑戮之謂也. 一曰衰謝之刑(謂金木水火土正刑), 二曰制御之刑(謂十干之刑也), 三曰不遜之刑(謂十二克刑).
전에 이르기를 刑은 형륙을 말한다. 첫째는 쇠사지형이며(금목수화토의 정형을 말한다). 두 번째는 제어지형(십간의 형을 말한다)이며, 세 번째는 불손지형이다(십이극형을 말한다).

翼奉傳曰 金剛火強, 各在其方, 木落歸根, 水流趨未.
익봉전에 이르기를 金은 단단하고 火는 강하고, 각각의 위치에 있으며, 나무는 떨어져 뿌리로 돌아가고, 물은 흘러 쫓아간다고 하였다.

巳、酉、丑, 金之位在西方, 言金恃其剛, 物莫與對. 陽氣八月從酉而入, 因而挫之, 故金刑在西方.
사유축은 金의 위치이며 서방이고, 金은 그 단단함에 기대니 만물이 함께 마주하지 못한다고 말한다. 양기는 8월에 酉金을 따라 들어가니 이때부터 꺾인다. 고로 金의 刑은 서방에 있다.

寅、午、戌, 火之位在南方, 言炎恃其強, 物莫與對. 陽氣五月生於午, 因而挫之, 故火刑在於南方.
인오술은 火의 위치이며 남방이고, 불꽃이 강함에 의지하니 만물이 함께 마주하지 못한다. 양기가 5월 午火에서 생하여 꺾이어 앉으니, 고로 火의 刑은 남방에 있다.

亥、卯、未, 木之位. 木落歸本, 言葉落複根. 亥卯未, 木之根, 刑在北方. 言木恃其榮觀, 故陰氣刑之, 使凋傷也.
해묘미는 木의 위치이다. 木은 떨어져 근본으로 돌아가니, 잎이 떨어져 뿌리로 돌아감을 말한다. 해묘미는 木의 뿌리이며, 刑은 북방에 있다. 木은 그 영관[39]에 의지하는 까닭에, 음기가 그것을 刑하며, 시들어 상하게 한다.

申、子、辰, 水之位. 水流趨末, 水性東流, 逝而不返, 其謂之末也, 故水刑在東方. 言水恃陰德, 故陽刑使之不歸也.
신자진은 水의 위치이다. 水는 흘러 끝까지 쫓아가니, 물의 성질은 동으로 흐르는 것이며, 가되 물러나지 않고, 그 끝에까지 다다름을 말한다. 고로 水의 刑은 동방에 있다. 水는 음덕에 기대니 양을 刑하되 돌아오지 않는다.

土位在中央, 寄旺四季. 以未為長生, 丑為冠帶, 墓在辰, 天刑在戌. 此言土力最大, 天能刑之, 故天刑在戌.
土는 중앙에 있으며, 사계에 왕하다. 未는 장생이고, 丑은 관대, 墓는 辰에 있으며, 천형은 戌에 있다. 이는 토의 힘이 가장 세기 때문에, 하늘이 이를 刑하니 고로 천형은 戌에 있다.

制御之刑者, 謂十干也.
제어[40]의 刑이라는 것은 십간을 말한다.

辰來克日為逆亂, 故加刑以制御之. 凡干刑所加, 戰爭不出其下. 甲刑在申, 乙刑在酉, 丙刑在子, 丁刑在亥, 戊刑在寅, 己刑在卯, 庚刑在午, 辛刑在巳, 壬刑在戌, 癸刑在未.
辰이 와서 日을 극하면 오히려 혼란스러운 까닭에, 刑을 가하여

---

39) 영관(榮觀): 화려한 모습
40) 제어(制御): 억눌러 멋대로 다루는 것

이를 제어하는 것이다. 모름지기 干刑이 加하는 곳은 그 아래서 전쟁이 일어나지 않는다. 甲의 刑은 申, 乙의 刑은 酉, 丙의 刑은 子, 丁의 刑은 亥, 戊의 刑은 寅, 己의 刑은 卯, 庚의 刑은 午, 辛의 刑은 巳, 壬의 刑은 戌, 癸의 刑은 未에 있다.

不遜之刑者, 謂十二支也. 義有三段
불손[41]의 刑이라는 것은 12지지를 말하는 것이다. 뜻에는 세 단계가 있다.

第一寅刑巳, 巳刑申, 申刑寅, 為無恩之刑. 言寅中有雜火, 不恤巳中雜金, 故寅刑巳. 巳生庚金, 又效尤巳裏之雜土, 不恤申中之雜水, 故水往刑申. 申立下巳, 見所生巳裏之土被寅刑, 故又往刑寅, 此為無恩之刑也.
첫째, 寅의 刑은 巳, 巳의 刑은 申, 申의 刑은 寅이니 무은[42]의 형이 된다. 寅 가운데 火가 섞여 있어, 巳 중에 섞인 金을 구하지 않으니, 寅의 刑은 巳이다. 巳는 庚金을 생하고, 또 巳 중에 섞인 土를 본받지 않으니, 申 중에 섞인 水를 구하지 않으니, 고로 水가 申을 刑하러 간다. 申은 巳 아래에서 일어나며, 巳火가 안의 土를 생하는 것을 보고도 다시 寅을 刑하러 가니, 이를 무은의 형이라 한다.

第二恃勢之刑者, 言未土恃長生, 而欺丑之始冠帶, 故未刑丑. 丑恃冠帶, 而欺戌土之先被刑, 故丑往刑戌, 戌再遷其怒, 自恃旬首甲戌, 而往刑旬末癸未. 此為恃勢之刑.
두 번째, 시세[43]의 형이라는 것은 未土가 장생[44]을 믿고, 丑을 속

41) 불손(不遜): 겸손하지 않음
42) 무은(無恩): 은혜를 모르는 것
43) 시세(恃勢): 세력을 믿는 것
44) 未의 장생은 申이다. 丑은 申의 창고이니 未가 丑을 속여 금으로 행

여 관직을 시작하니, 未의 刑은 丑이다. 丑은 관직을 믿고 戌土를 속여 먼저 刑을 받게 하니, 丑이 戌을 刑하러 가고, 戌은 화가 나서 다시 옮기니, 스스로 旬首인 甲戌을 믿고, 旬尾인 癸未를 刑하러 간다. 이를 恃勢의 刑이라 한다.

第三無禮之刑者, 言陽精自生日, 陽氣在子, 而卯為日門, 子為卯父, 鼎立無卑恭之禮, 是以卯子為無禮之刑也. 翼奉傳曰 子為貪狼, 卯為陰賊, 王者為忌失之辰. 辰午酉亥自刑, 義見上矣.

세 번째 무례의 형이라는 것은 양정[45]은 日을 생하는 것을 말한다. 陽氣는 子에 있고, 卯는 태양의 문[46]이 되니, 子는 卯의 아버지가 되고, 제대로 세워도 업신여겨 공경의 예가 없으니, 이를 卯子는 무례의 형이라 한다. 익봉전에 이르기를 子는 탐랑이고 卯는 음적이니, 왕한 것은 그 辰을 잃는 것을 근심한다. 辰午酉亥는 自刑이니, 뜻은 위을 본다.

세하고 관대가 되는 것이다.

45) 양정(陽精): 陽의 정기

46) 卯酉는 日月의 門이다.

釋害 第十七 (해을 설명하다)

傳曰 害者, 妨也, 在刑殺之間.
전에 이르기를 害는 방해하는 것이니, 刑과 殺의 사이에 있다 하였다.

酉戌相害者, 謂戌以死火, 害酉生金, 此名為鬼害也.
酉戌 상해는, 死火인 戌이 酉를 해하고 金을 생하는 것을 말하니, 귀해[47]라 이름한다.

申亥相害者, 各恃其臨官 欲競強勢, 嫉才爭進 相害也.
申亥 상해는, 각각 임관을 믿고, 강한 세력으로 경쟁하고자 하는 것이니, 재주를 질투하여 싸우는 相害이다.

子未相害者, 謂未以王土, 害子王水, 此為恃勢相害也.
子未 상해는, 왕한 未土가 왕한 子水를 해하니 이는 세력에 기댄 상해이다.

寅巳相害者, 謂各恃其臨官, 各炫能而爭進相害也.
寅巳 상해는, 각기 임관을 믿고, 각자의 능력을 뽐내고 다투니 경쟁이 나아가는 상해이다.

丑午相害者, 謂午以王火, 而凌丑死金, 此以少凌長相害也.
丑午 상해는, 왕한 午火가 死金인 丑土를 업신여기는 것[48]을 말

47) 귀해(鬼害): 剋하는 것이 害가 되는 것.
48) 丑土는 金의 창고이니 죽은 金이다.

하니, 이는 아이가 어른을 업신여기는 상해이다.

卯辰相害者, 謂卯以王木, 凌辰死土, 此以少凌長相害也.
卯辰 상해는, 왕한 卯木이 死土인 辰土를 업신여기는 것[49]이니, 이는 아이가 어른을 업신여기는 상해이다.

凡占遇六害者, 各以本意決之.
모름지기 점에서 六害를 만나는 것은 각기 그 본뜻으로 정단해야 한다.

49) 辰土는 土의 창고이니 죽은 土이다.

釋鬼 第十八 (귀를 설명하다)

傳曰 鬼者, 五行之精氣也, 謂支干皆有之.
전에 이르기를 귀는 오행의 정기이며, 간지 모두에 있다.

干鬼者 甲鬼在申, 乙鬼在酉, 丙鬼在子, 丁鬼在亥, 戊鬼在寅, 己鬼在卯, 庚鬼在午, 辛鬼在巳, 壬鬼在戌, 癸鬼在未.
간귀라는 것은, 甲의 귀는 申, 乙의 귀는 酉, 丙의 귀는 子, 丁의 귀는 亥, 戊의 귀는 寅, 己의 귀는 卯, 庚의 귀는 午, 辛의 귀는 巳, 壬의 귀는 戌, 癸의 귀는 未에 있다.

支鬼者 子鬼在辰, 丑鬼在卯, 寅鬼在申, 卯鬼在酉, 辰鬼在寅, 巳鬼在亥, 午鬼在子, 未鬼在卯, 申鬼在午, 酉鬼在巳, 戌鬼在寅, 亥鬼在未.
지귀[50]라는 것은, 子의 귀는 辰, 丑의 귀는 卯, 寅의 귀는 申, 卯의 귀는 酉, 辰의 귀는 寅, 巳의 귀는 亥, 午의 귀는 子, 未의 귀는 卯, 申의 귀는 午, 酉의 귀는 巳, 戌의 귀는 寅, 亥의 귀는 未에 있다.

---

50) 간귀, 지귀 모두 자신을 극하는 것을 鬼라 한다.

釋殺 第十九 (살을 설명하다.)

傳曰 陰氣尤毒, 謂之殺也.
전에 이르기를 음기는 더욱 독하니 살이라 한다.

巳、酉、丑, 劫殺在寅, 寅中有陰氣生火也. 災殺在卯, 卯為日門, 陰氣所入. 天殺在辰, 辰為四季陰氣, 能游天上也.
사유축의 겁살[51]은 寅에 있고, 寅 가운데 있는 음기[52]가 火를 생한다. 재살은 卯에 있고, 卯는 태양의 문이며, 음기가 들어가는 곳[53]이다. 천살[54]은 辰에 있고, 辰은 사계는 음기이니, 하늘 위를 떠돈다.

申、子、辰, 劫殺在巳, 巳中有陰氣生土也. 災殺在午, 言氣生於午也. 天殺在於未, 言四季陰氣, 能游天上也.
신자진의 겁살은 巳에 있고, 巳 중에 있는 음기[55]가 土를 생한다. 재살은 午에 있고, 午에서 기가 生한다고 말한다. 천살은 未에 있고, 사계는 음기이니 하늘 위를 떠돈다고 말한다.

亥、卯、未, 劫殺在申, 申中有陰金也. 災殺在酉, 酉為月門, 陰氣

---

51) 대살(大殺)이라고도 한다.
52) 寅의 지장간은 戊丙甲이고 그 중 甲이 丙를 생하여 金을 극하니 寅 중에 음기가 있다고 했다.
53) 卯時에는 해가 뜨고 모든 음기가 사라진다. 마찬가지로 酉時에는 해가 지니 양기가 사라진다. 卯酉는 日月의 門이니 해가 뜨고 진다.
54) 세살(歲殺)이라고도 한다.
55) 巳의 지장간은 戊庚丙이고 그 중 巳가 戊를 생하여 水를 극하니 巳 중에 음기가 있다고 했다.

所出也. 天殺在戌, 言四季陰氣, 能游天上也.
해묘미의 겁살은 申에 있고, 申 중에 음금[56]이 있다. 재살은 酉에 있고, 酉는 달의 문이니 음기가 나오는 곳이다. 천살은 戌에 있고, 사계는 음기이니 하늘 위를 떠돈다고 말한다.

寅、午、戌, 劫殺在亥, 亥中有陰水也. 災殺在子, 子為陰水, 言陰氣生子也. 天殺在丑, 言四季陰氣, 能游天上也.
인오술의 겁살은 亥에 있고, 亥 중에 음수[57]가 있다. 재살은 子에 있고 子는 음수가 되니, 음기가 子를 생한다고 말한다. 천살은 丑에 있으니, 사계는 음기이니 하늘 위를 떠돈다고 말한다.

金神三殺者, 寅申巳亥, 三殺在酉. 子午卯酉, 三殺在巳. 辰戌丑未, 三殺在丑.
금신삼살[58]이라는 것은, 인신사해의 삼살은 酉에 있고, 자오묘유의 삼살은 巳에 있고, 진술축미의 삼살은 丑에 있다.

若占病, 白虎並官事, 與朱雀並者, 皆大凶也.
병점에서 백호가 관의 일과 같이 있거나, 주작이 같이 있으면 모두 크게 흉하다[59].

年月三殺者, 申子辰, 殺在未, 謂水太陰之位, 殺在太陽之上. 亥卯未, 殺在戌, 謂木少陽之位, 殺在少陰之上. 寅午戌, 殺在丑, 謂火太陽之位, 殺在太陰之上. 巳酉丑, 殺在辰, 謂金少陰之位, 殺在少陽之上.

---

56) 申의 지장간에는 庚이 있고 이 庚이 木를 극한다.
57) 壬를 말한다.
58) 金神三殺은 金神殺이라고도 하며, 破碎煞과 같다.
59) 虎鬼이다. 필법부에서 말하는 金日逢丁凶禍動과 같이 金日에 白虎가 鬼인 火에 乘하며 凶이 크고, 朱雀은 火이니 大凶이다.

연월삼살[60]이라는 것은 신자진의 살은 未에 있고, 水는 태음의 위치이니, 殺은 태양 위에 있음을 말한다. 해묘미의 살은 戌에 있고, 木은 소양의 위치이니, 殺은 소음 위에 있음을 말한다. 인오술의 살은 丑에 있고, 火는 태양의 위치이니, 殺은 태음 위에 있음을 말한다. 사유축의 살은 辰에 있고, 金은 소음의 위치이니, 殺은 소양 위에 있음을 말한다.

凡上三傳, 吉將與殺並者, 吉事速. 凶將與殺並者, 其凶尤重. 金神三殺最惡, 若乘三象氣來克日辰人年者, 大凶也.
무릇 삼전 상에 길장과 살이 같이 있으면 길한 일이 빠르다. 흉장이 살과 같이 있으면 그 흉함이 더욱 무겁다. 금신삼살이 가장 나쁘고, 만약 삼상기[61]가 승하여 日辰, 年命을 극하면 크게 흉하다.

---

60) 年月三殺은 天殺과 같다.
61) 劫殺, 災殺, 天殺을 말한다. 주로 가장 영향이 큰 겁살을 본다.

釋數 第二十 (수를 설명하다)

傳曰 數者, 謂五行、十干、十二支數也.
전에 이르기를 數 라는 것은 오행, 십간, 십이지의 숫자이다.

五行數者, 水, 生數一, 成數六. 火, 生數二, 成數七. 木, 生數三, 成數八. 金, 生數四, 成數九. 土, 生數五, 成數十.
오행수는 水는 생수[62] 일이고 성수 육이다. 火는 생수 이, 성수 칠이다. 木은 생수 삼, 성수 팔이다. 金은 생수 사, 성수 구이다. 土는 생수 오, 성수 십이다.

十二支數者, 子午數九, 丑未數八, 寅申數七, 卯酉數六, 辰戌數五, 巳亥數四.
십이지수는 자오 수는 구, 축미 수는 팔, 인신 수는 칠, 묘유 수는 육, 진술 수는 오, 사해 수는 사이다.

十干數者, 甲己數九, 乙庚數八, 丙辛數七, 丁壬數六, 戊癸數五.
십간수는, 갑기 수는 구, 을경 수는 팔, 병신 수는 칠, 정임 수는 육, 무계 수는 오이다.

---

62) 생수(生數): 하도, 낙서에 기초한 숫자이며, 생수에 5를 합한 숫자를 성수(成數)라 한다.

下卷

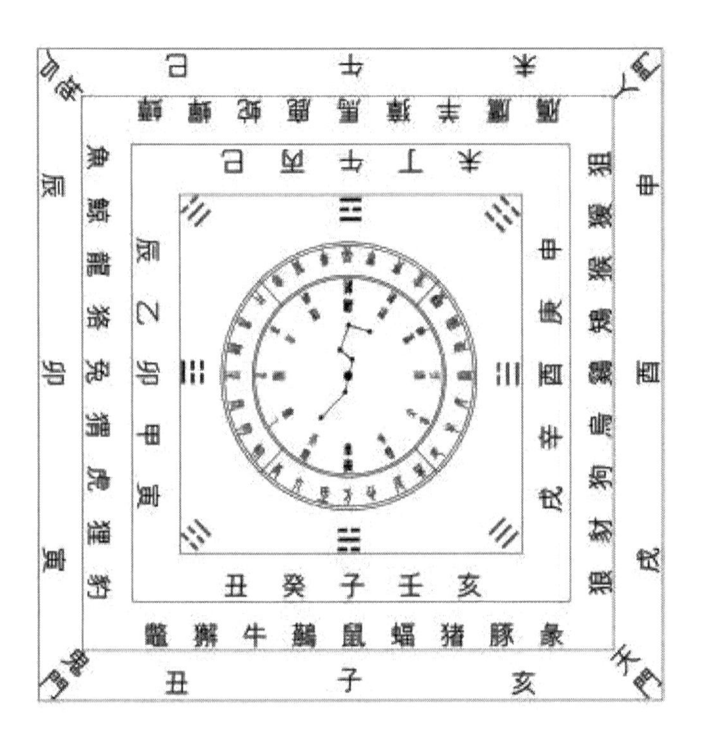

釋相生 第二十一 (상생을 설명하다)

金匱經曰 二氣交會各五. 五行, 謂金木水火土, 循環而無端. 故金化而水生, 水流木榮, 木動而火炎, 火炎而土平, 積土而金成. 此五行相生之情而相受也. 故金生水, 水生木, 木生火, 火生土, 土生金, 是為相生也.

금궤경[63]에 이르기를 두 기가 서로 교차하여 만나니 각 다섯 개다. 오행은 금목수화토를 말하며, 순환하여 끝이 없다. 따라서, 金이 화하여 水가 생하고, 水는 흘러 木이 무성하고, 木은 움직여 火가 타오르고, 火는 타올라 土를 고르게 하고, 쌓인 土가 金을 이룬다. 이는 오행 상생의 精이고 서로 받아들이는 것이다. 따라서, 金은 水를 생하고, 水는 木을 생하고, 木은 火를 생하고, 火는 土를 생하고, 土는 金을 생하니 이를 상생[64]이라 한다.

---

63) 금궤경(金匱經): 금궤옥함경을 말한다.

64) 상극과 마찬가지로 쫓아가며 생한다는 의미로 체생(遞生)이라고도 한다.

釋相克 第二十二 (상극을 설명하다)

金匱經曰 五行者, 各有相惡也. 故金入火而銷亡, 火得水而滅光, 水得土而不行, 土得木而腫瘡, 木逢金而折傷. 此五行相克之情, 遞相惡也. 故金克木, 木克土, 土克水, 水克火, 火克金. 是謂遞相惡也.

금궤경에 이르기를 오행은 각기 서로 싫어함이 있다. 따라서, 金은 火에 들어가면 녹아 없어지고, 火는 水을 얻으면 빛을 잃고, 水는 土를 얻으면 흘러가지 못하고, 土는 木을 얻으면 부르터 덩어리지고, 木은 金를 만나면 잘리고 상처 입는다. 이는 오행 상극의 精이며, 따라가며 서로 싫어하는 것이다. 따라서, 金은 木을 극하고, 木은 土를 극하고, 土는 水를 극하고, 水는 火를 극하고, 火는 金을 극한다. 이를 일컬어 따라가며 서로 싫어한다[65]고 말한다.

65) 체상오(遞相惡): 체극(遞剋)이라고도 한다. 서로 쫓아가면서 극하는 것이다.

釋月將[66] 第二十三 (월장을 설명하다)

正月將徵明 정월장 증명

金匱經曰 建寅之月, 陽氣始達, 徵召萬物而明理之, 故曰徵明.

금궤경에 이르기를 寅 월건[67]에, 양기가 도달하기 시작하여 만물을 불러 모아 밝히는 까닭에 징명이다.

二月將天魁 2월장 천괴

金匱經曰 建卯之月, 萬物皆生, 各求根本, 以類合聚, 故曰天魁.

금궤경에 이르기를 卯 월건에, 만물이 모두 생하고, 각기 뿌리를 구하며, 종류 별로 한 곳에 합하고 모이는 까닭에 천괴이다.

三月將從魁 3월장 종괴

金匱經曰 建辰之月, 萬物皆長, 枝蕊花葉, 從根本而出, 故曰從魁.

금궤경에 이르기를 辰 월건에, 만물이 모두 펼쳐나가 가지가 무성해지고 꽃과 잎이 퍼지며 뿌리를 따라 나가는 까닭에 종괴이다.

四月將傳送 4월장 전송

金匱經曰 建巳之月, 萬物盛茂, 陽氣所傳而通送之, 故曰傳送.

금궤경에 이르기를 巳 월건에, 만물이 무성하고 양기가 전달되어 통하여 보내지는 까닭에 전송이다.

---

66) 子神后, 丑大吉, 寅功曹, 卯太冲, 辰天罡, 巳太乙, 午勝光, 未小吉, 申傳送, 酉從魁, 戌天魁, 亥燈明

67) 월건(月建): 매월을 나타낸다. 봄에 입춘부터 시작하여 두 개의 절기가 하나의 월건을 이룬다. 12개의 월건이 있고 이에 대한 12개의 월장이 있다. 음력 1개월과는 시작과 끝에서 차이가 있으며, 태양의 위치에 기초한 달이다.

五月將小吉 5월장 소길

金匱經曰 建午之月, 萬物小盛, 陰氣始生, 奉陽之功, 故曰小吉.

금궤경에 이르기를 午 월건에 만물이 작게 성하며, 음기가 생하기 시작하니, 陽을 받드는 공이 있는 까닭에 소길이라 한다.

六月將勝光 6월장 승광

金匱經曰 建未之月, 萬物壯大, 逾本而生, 故曰勝光.

금궤경에 이르기를 未 월건에 만물이 장대하고 뿌리을 지나 생하는 까닭에 승광이다.

七月將太乙 7월장 태을

金匱經曰 建申之月, 萬物畢秀, 吐穗含實, 孔穴自任, 故曰太乙.

금궤경에 이르기를 申 월건에 만물이 빼어남을 끝내고 이삭을 토하고 열매를 품으니, 구멍에 스스로 임하는 까닭에 태을이다.

八月將天罡 8월장 천강

金匱經曰 建酉之月, 萬物強固, 柯條已定, 核實堅剛, 故曰天罡.

금궤경에 이르기를 酉 월건에, 만물이 단단해지고 가지들은 이미 정돈되고, 씨와 열매는 단단하게 굳어지는 까닭에 천강이다.

九月將太衝 9월장 태충

金匱經曰 建戌之月, 萬物成熟, 收獲聚之, 枝條剝毀, 故曰太衝.

금궤경에 이르기를 戌 월건에 만물이 성숙하니 거두고 잡아서 모아두고, 가지는 벗겨지고 훼손되는 까닭에 태충이다.

十月將功曹 10월장 공조

金匱經曰 建亥之月, 萬物大聚, 功事成就, 計定於功, 故曰功曹.

금궤경에 이르기를 亥 월건에 만물은 크게 모이고 일은 이루고 성취되며, 그 공을 바르게 헤아리는 까닭에 공조이다.

十一月將大吉 11월장 대길

金匱經曰 建子之月, 陽氣複始, 君得其位, 惠化日施, 故曰大吉.

금궤경이 이르기를, 子 월건에은 양기가 다시 시작되고 임금이 그 지위를 얻으니, 은혜가 태양의 베품으로 변하는 까닭에 대길이다.

十二月將神后 12월장 신후

金匱經曰 建丑之月, 歲功畢定, 酒醴蠟祭百神, 故曰神后.

금궤경에 이르기를 丑 월건에 한 해의 공이 정리되어 마치고 여러 신들에게 제를 지내는 까닭에 신후이다.

天之運轉, 合宿之所至, 以立神名. 天之十二神, 動移無窮. 地之十二辰, 以靜而待之.

하늘의 운행은 별이 합하는 곳에 이르러 신명을 세운다. 하늘의 십이지신은 움직임이 끝없다. 땅의 십이진은 고요하게 하늘의 십이신을 대한다.

或有相生, 或有相克, 吉凶之本, 不可不知. 上克下憂他人, 下克上憂己身. 上克下憂婦人, 下克上憂男子.

혹 상생하고 혹은 상극이 있으니, 길흉의 근본이니 모르면 안 된다. 상극하[68]는 타인을 걱정하고, 하극상은 자신을 걱정한다. 상극하는 부인을 걱정하고, 하극상[69]은 남자를 걱정한다.

---

68) 상극하(上克下): 위가 아래를 극하는 것. 천반이 지반을 극하는 것을 말한다.

69) 하극상(下克上): 아래가 위를 극하는 것. 지반이 천반을 극하는 것을 말한다.

旺氣所勝, 憂縣官. 相氣所勝, 憂財物. 死氣所勝, 憂死喪. 囚氣所勝, 憂囚系. 休氣所勝, 憂疾病. 餘皆仿引例.

왕기가 이기는 바는 관리를 걱정하고, 상기가 이기는 바는 재물을 걱정하고, 사기가 이기는 바는 죽거나 상처입는 것을 걱정한다. 수기가 이기는 바는 감금을 걱정하고, 휴기가 이기는 바는 질병을 걱정한다. 나머지 모두 이 예를 본떠서 따른다.

釋壁度 第二十四 (벽도[70])를 설명하다)

太史楊維德曰 臣等謹案 十二次取三統歷, 配十二分野, 其旨最詳. 又有費真說周易、蔡邕月令章句, 並後魏太史陳卓言入宿度, 各有先後, 令依三統歷入次度, 與見行歷書同, 所定並同.

태사 양유덕이 말하기를, 신들이 삼가 아뢰건대, 삼통력[71])에서 십이차[72])를 취하여 십이분야[73])에 배분하였는데 그 가리키는 바가 가장 상세합니다. 또 주역의 진설과 채옹 월령장구를 가져다 쓰고, 후위 태사 진탁언의 숙도[74])를 넣으니 각기 선후가 있습니다. 월령은 삼통력에 따라 차도를 넣고 행력서와 함께 보면 그 정한 바가 같습니다.

自軫宿十二度, 至氐四度, 為天罡, 於辰在辰.

진수 12도에서 저수 4도까지 천강이 되며, 진[75])은 辰에 있다.

自氐宿五度, 至尾宿九度, 為太衝, 於辰在卯.

저수 5도에서 미수 9도까지 태충이 되며, 진은 卯에 있다.

---

70) 하늘 사방에는 각 七宿가 있다. 이를 二十八宿라 한다. 동쪽 청룡에는 角, 亢, 氐, 房, 心, 尾, 箕, 북방 현무에는 斗, 牛, 女, 虛, 危, 實, 壁, 서방 백호에는 奎, 婁, 胃, 昴, 畢, 觜, 參, 남방 주작에는 井, 鬼, 柳, 星, 張, 翼, 軫의 별자리가 있다. 여기서 언급되는 각 별자리의 위치는 과거 송나라 때의 위치이다. 별들이 세차운동을 하므로 현재는 여기 나와있는 위치와는 차이가 있다. 천문이나 태을을 연구하는 분들에게 좋은 연구꺼리이다.

71) 삼통력(三統歷): 하나라, 은나라, 주나라 삼대의 왕이 창조한 책력을 통칭하는 말

72) 십이차(十二次): 동양에서 적도를 따라 12구역을 구분하는 천문 용어

73) 십이분야(十二分野): 하늘의 십이차를 땅에 나누어 표시한 것.

74) 숙도(宿度): 별자리 위치

75) 진(辰): 땅을 열두 방향으로 나누었을 때 방향을 나타낸다.

自尾宿十度, 至斗宿十一度, 為功曹, 於辰在寅.
미수 10도에서 두수 11도까지 공조가 되며, 진은 寅에 있다.
自斗宿十二度, 至女宿七度, 為大吉, 於辰在丑.
두수 12도에서 여수 7도까지 대길이 되며, 진은 丑에 있다.
自女宿八度, 至危宿十五度, 為神后, 於辰在子.
여수 8도에서 위수 15도까지 신후가 되며, 진은 子에 있다.
自危宿十六度, 至奎宿四度, 為登明, 於辰在亥.
위수 16도에서 규수 4도까지 등명이 되며, 진은 亥에 있다.
自奎宿五度, 至胃宿六度, 為河魁, 於辰在戌.
규수 5도에서 위수 6도까지 하괴가 되며, 진은 戌에 있다.
自胃宿七度, 至畢宿十一度, 為從魁, 於辰在酉.
위수 7도에서, 필수 11도까지 종괴가 되며, 진은 酉에 있다.
自畢宿十二度, 至東井十五度, 為傳送, 於辰在申.
필수 12도에서 동정 15도까지 전송이 되며, 진은 申에 있다.
自井宿十六度, 至柳宿八度, 為小吉, 於辰在未.
정수 16도에서 유수 8도까지 소길이 되며, 진은 未에 있다.
自柳宿九度, 至張宿十六度, 為勝光, 於辰在午.
유수 9도에서 장수 16도까지 승광이 되며, 진은 午에 있다.
自張宿十七度, 至軫宿十一度, 為太乙, 於辰在巳.
장수 17도에서 진수 11도까지 태을이 되며, 진은 巳에 있다.

釋日度 第二十五 (일도를 설명하다)

太史楊惟德曰臣等謹案
태사 양유덕이 이르기를 신들이 아뢰건대,
歷法日周天三百六十五度四分度之一, 太陽一日行一度, 八十五歲則行不及一度.
역법에 태양의 일주천은 365도 4분의1이고, 태양은 하루에 1도를 가며, 85년에 1도가 모자란다.

臣等今依大宋崇天歷, 起自景甲戌歲, 二十四氣、日宿次合、分壁度數, 以定月將, 故得用式無差, 占事有准, 禍福符應, 時變以周, 悔吝凶吉與神道而合契.
신들이 송나라 숭천역[76]에 따라, 갑술년부터 시작하여 24절기 하루 별자리를 합하고, 벽도수를 나누어 정월장을 정한 까닭에, 식을 사용함에 오차가 없었고, 점사의 기준이 되었으며, 재앙과 복이 맞고 시변이 돌아가니, 근심, 걱정, 길흉과 신도가 맞았습니다.

冬至, 斗宿六度二十六分. 동지는 두수 6도 26분이다.
小寒, 斗宿二十二度二十二分. 소한은 두수 22도 22분이다.
大寒, 女宿六度七十七分. 대한은 여수 6도 77분이다.
立春, 危宿初度九十七分. 입춘은 위수 1도 97분이다.
雨水, 危宿十六度五十三分. 우수는 위수 16도 53분이다.

76) 북송 시대의 다섯번째 달력이며 태음력에 속한다. 송나라 인종 때 학자 초연과 송흥구에 명하여 1024년에 반포하였다. 1년은 365.2446일이고 한달은 29.53059일이다. 40년 이상 사용되었으며, 1064년 영종 원년에 명천력으로 대체되었다.

驚蟄, 室宿十四度二十分.	경칩은 실수 14도 20분이다.
春分, 奎宿二度五十分.	춘분, 규수 2도 50분이다.
清明, 婁宿初度四十分.	청명은 루수 1도 40분이다.
穀雨, 胃宿二度四十分.	곡우는 우수 2도 40분이다.
立夏, 昴宿二度五十二分.	입하는 묘수 2도 52분이다.
小滿, 畢宿六度二十八分.	소만은 필수 6도 28분이다.
芒種, 參宿三度八十九分.	망종은 삼수 3도 89분이다.
夏至, 井宿九度十三分.	하지는 정수 9도 13분이다.
小暑, 井宿二十三度六十六分.	소서는 정수 23도 66분이다.
大暑, 柳宿五度四十分.	대서는 유수 5도 40분이다.
立秋, 星宿五度九十八分.	입추는 성수 5도 98분이다.
處暑, 張宿十三度八十六分.	처서는 장수 13도 86분이다.
白露, 翼宿十度十二分.	백로는 익수 10도 12분이다.
秋分, 軫宿六度一分.	추분은 진수는 6도 1분이다.
寒露, 角宿二度五十四分.	한로는 각수 2도 54분이다.
霜降, 亢宿四度九十八分.	상강은 항수 4도 98분이다.
立冬, 氐宿十一度五分.	입동은 저수 11도 5분이다.
小雪, 尾宿一度四十八分.	소설은 미수 1도 48분이다.
大雪, 箕宿初度三十分.	대설은 기수 1도 30분이다.

假令十一月十五日冬至, 在南斗六度. 至二十一日, 在南斗十二度. 於辰在丑方, 用大吉為月將.
가령 11월 15일 동지이면 남두 6도에 있다. 21일에 이르면 남두는 12도이다. 진은 축방에 있으며 대길을 월장으로 사용한다.

若二十日以前用式占事, 猶用功曹為月將. 餘皆仿此.
만약 20일 이전에 점사를 조식한다면, 오직 공조를 월장으로 사용한다. 나머지도 모두 이와 같이 한다.

釋日出沒 第二十六 (일출몰을 설명하다)

古法曰 一晝夜有二十時, 總一百刻, 逐時更分, 各有長短, 謂辰戌丑未四時, 各十三刻, 其餘八時各六刻, 共成一百刻也. 殊不知天道運行, 歲時差忒, 銀漏著短長之限, 實咎分盈縮之期.

고법에 이르기를 일주야는 20시, 총 일백각이고, 시간을 다시 나누면 각각이 장단이 있으니, 소위 진술축미 사시가 각각 13각, 그 나머지 8시가 각각 6각이니 모두 더하여 100각이 된다고 하였다. 하늘의 운행을 전혀 알지 못하면 세시가 어긋나 틀리게 되니, 시계의 장단에 한계가 있어서인데 차고 줄어드는 기간을 나누는 오류 때문이다.

臣等今依崇天歷, 算定遲疾, 四時無差於昏曉. 月令云 日出前二刻半為曉, 日入後二刻半為昏也.

신들이 숭천역으로 미진한 부분을 계산하여 정하니 사시는 아침, 저녁으로 차이가 없었습니다. 월령에서 이르기를, 일출 전 2각 반은 새벽이고, 해가 지고 2각 반이 저녁이라고 하였습니다.

冬至, 日出卯正五刻空, 入申正三刻二十分.

동지 일출은 卯 정5각, 일몰 申 정3각20분

小寒, 日出卯正四刻五十分, 入申正三刻三十分.

소한 일출은 卯 정4각50분, 일몰 申 정3각 30분

大寒, 日出卯正四刻二十分, 入申正四刻空.

대한 일출은 卯 정4각20분, 일몰 申 정4각

立春, 日出卯正三刻三十二分, 入申正四刻四十八分.

입춘 일출은 卯 정3각32분, 일몰 申 정4각48분

雨水, 日出卯正二刻三十分, 入申正五刻五十分.
우수 일출은 卯 정2각30분, 일몰 申 정5각 50분
驚蟄, 日出卯正一刻十七分, 入申正十刻三分.
경칩 일출은 卯 정1각17분, 일몰 申 정10각 3분
春分, 日出卯正初刻空, 入酉正初刻空.
춘분 일출은 卯 정1각, 일몰 酉 정1각
淸明, 日出寅正七刻三分, 入酉正一刻十七分.
청명 일출은 寅 정7각3분, 일몰 酉 정1각17분
穀雨, 日出寅正五刻五十分, 入酉正二刻三十分.
곡우 일출은 寅 정5각50분, 일몰 酉 정2각30분
立夏, 日出寅正四刻四十分, 入酉正三刻三十二分.
입하 일출은 寅 정4각40분, 일몰 酉 정3각32분
小滿, 日出寅正四刻四十八分, 入酉正四刻二十分.
소만 일출은 寅 정4각48분, 일몰 酉 정4각20분
芒種, 日出寅正三刻三十分, 入酉正四刻五十分.
망종 일출은 寅 정3각30분, 일몰 酉 정4각50분
夏至, 日出寅正三刻三十分, 入酉正五刻空.
하지 일출은 寅 정3각30분, 일몰 酉 정5각
小暑, 日出寅正三刻三十一分, 入酉正四刻五十分.
소서 일출은 寅 정3각31분, 일몰 酉 정4각50분
大暑, 日出寅正四刻空, 入酉正四刻二十分.
대서 일출은 寅 정4각, 일몰 酉 정4각20분
立秋, 日出寅正四刻四十八分, 入酉正三刻三十三分.
입추 일출은 寅 정 4각48분, 일몰 酉 정 3각 33분
處暑, 日出寅正五刻五十分, 入酉正二刻三十分.
처서 일출은 寅 정5각50분, 일몰 酉 정2각30분
白露, 日出寅正七刻三分, 入酉正七刻十七分.
백로 일출은 寅 정7각3분, 일몰 酉 정7각17분

秋分, 日出卯正初刻空, 入酉正初刻空.
추분 일출은 卯 정1각, 일몰 酉 정1각
寒露, 日出卯正一刻十七分, 入酉正七刻三分.
한로 일출은 卯 정1각17분, 일몰 酉 정7각3분
霜降, 日出卯正二刻三十分, 入申正五刻五十分.
상강, 일출 卯 정2각30분, 일몰 申 정5각50분
立冬, 日出卯正三刻二十二分, 入申正四刻四十八分.
입동 일출은 卯 정3각22분, 일몰 申 정4각48분
小雪, 日出卯正四刻二十分, 入申正四刻空.
소설 일출은 卯 정4각20분, 일몰 申 정4각
大雪, 日出卯正四刻五十分, 入申正三刻三十分.
대설 일출은 卯 정4각50분, 일몰 申 정3각30분

釋昏曉 第二十七 (혼효를 설명하다)

黃帝曰 曉昏[77]之法, 以星沒為曉, 星出為昏. 雖諸說之紛紜, 奈法式而猶闕.
황제에 이르기를 효혼의 법은 별이 지면 새벽(효)이고 별이 뜨면 저녁(혼)이다. 무릇 여러 가지 설이 많지만, 법식은 있되 모자람이 있다.

臣等今依崇天歷 算定昏曉, 中星定貴神經歷之方, 分天官向背之所, 庶占驗無失, 善惡有准矣.
신들이 이제 숭천역에 따라 혼효를 산정해 보니, 중성을 정하여 귀신[78]이 역의 방위를 지나는 것을 보고, 천관[79]의 향배를 배분하면, 여러 점사를 보는데 착오가 없으니, 옳고 그름의 기준으로 삼을 수 있습니다.

節氣	曉中星	昏中星	절기	효중성	혼중성
冬至,	角初度	壁四度	동지	각수 초도	벽수 4도
小寒,	亢二度	奎六度	소한	항수 2도	규수 6도
大寒,	氐七度	婁八度	대한	저수 7도	루수 8도
立春,	房四度	昴初度	입춘	방수 4도	묘수 초도
雨水,	尾五度	畢八度	우수	미수 5도	필수 8도
驚蟄,	尾十六度	參九度	경칩	미수 16도	삼수 9도

77) 혼효가 육임에서 중요한 이유는 천을귀인의 순행과 역행을 결정하기 때문이다.
78) 천을귀인을 나타낸다. 천을귀인은 태일(태을)성을 나타낸다.
79) 십이신장이 천을귀인의 위치에 따라 방향이 정해진다.

春分, 箕九度 井十九度 춘분 기수 9도 정수 19도
清明, 斗八度 柳三度 청명 두수 8도 유수 3도
穀雨, 斗十九度 張一度 곡우 두수 19도 장수 1도
立夏, 牛四度 翼三度 입하 두수 4도 익수 3도
小滿, 女九度 軫二度 소만 여수 9도 진수 2도
芒種, 危初度 角二度 망종 위수 초도 각수 2도
夏至, 危十四度 亢六度 하지 위수 14도 항수 6도
小暑, 室十三度 氐十一度 소서 실수 13도 저수 11도
大暑, 奎五度 尾初度 대서 규수 5도 미수 초도
立秋, 婁七度 尾十二度 입추 루수 7도 미수 12도
處暑, 昴初度 箕六度 처서 묘수 초도 기수 6도
白露, 畢九度 斗五度 백로 필수 9도 두수 5도
秋分, 井一度 斗十六度 추분 정수 1도 두수 16도
寒露, 井甘一度 牛初度 한로 정수 12도 우수 초도
霜降, 柳五度 女三度 상강 유수 5도 여수 3도
立冬, 張二度 虛三度 입동 장수 2도 허수 3도
小雪, 翼二度 危五度 소설 익수 2도 위수 5도
大雪, 軫一度 室一度 대설 진수 1도 실수 1도

釋天乙 第二十八 (천을을 설명하다)

司馬遷天官書曰 天乙[80]在紫微宮門右星南, 天帝之神也, 主鬪戰, 知人之吉凶者也. 天乙常背天門向地户而行.
사마천 천관서에 이르기를 천을은 자미 궁문 오른쪽 별 남쪽에 있으며, 천제의 신이고, 주는 투전이며, 사람의 길흉을 안다. 천을은 항상 천문[81]을 등지고 지호를 향하여 움직인다.

天官十有二, 天乙常以 甲戊庚日, 旦治大吉, 暮治小吉. 乙己之日, 旦治神后, 暮治傳送. 丙丁之日, 旦治徵明, 暮治從魁. 壬癸之日, 旦治太乙, 暮治太衝. 六辛之日, 旦治勝光, 暮治功曹也.
천관은 열 두가지가 있으니, 천을은 항상, 갑무경일은 아침에 대길을 다스리고 저녁에는 소길을 다스린다. 을기일에는 아침에는 신후를 다스리고 저녁에는 전송을 다스린다. 병정일에는 아침에는 징명을 다스리고 저녁에는 종괴를 다스린다. 임계일에는 아침에는 태을 다스리고 저녁에는 태충을 다스린다. 육신일에는 아침에는 승광을 다스리고 저녁에는 공조를 다스린다.

---

80) 甲戊庚日 丑未, 乙己日 子申, 丙丁日 亥酉, 壬癸日 巳卯, 六辛日 午寅이다.

81) 천문(天門), 지호(地户): 亥, 巳를 가리킨다. 귀인이 巳午未申酉戌에 있으면 역행, 亥子丑寅卯辰에 있으면 순행한다.

釋天官 第二十九 (천관을 설명하다)

天乙居中貴神主, 帝王之象, 家在己丑, 土神. 臨行年日辰利, 主上書 見人有財錢慶賀誥命之事. 在旺有貴人召命印信事, 在相上有貴人賞賜財物事, 在死上有貴人外喪事, 在囚上有貴人囚系事, 在休上有貴人憂疾病之事.

천을은 중앙에 거하며 귀신 가운데 최고이며, 제왕의 상이다. 집은 기축 토신이다. 행년, 일진에 임하는 것이 이롭고, 주는 상서이며, 이를 보면 사람에게 재물, 축하할 일, 왕이 내리는 명령의 일이 있다. 旺[82]에 귀인이 있으면 소명[83]이나 인신[84]의 일이 있고, 相에 귀인이 있으면 상을 받거나 재물의 일이 있고, 死에 귀인이 있으면 바깥에 초상을 당하는 일이 있고, 囚위에 귀인이 있으면 잡혀서 갇히는 일이 있고, 休에 귀인이 있으면 질병으로 걱정할 일이 있다.

前一螣蛇, 天乙奉車都尉, 家在丁巳, 火神, 驚恐怪異. 在旺上有縣官鬪訟, 在相上有土賊爭訟, 在死上有死喪驚恐, 在囚上有囚系恐飾, 在休上有疾病怪異事.

귀인의 하나 앞은 등사이며, 천을귀인을 수레로 모시는 벼슬이다. 집은 정사이고 화신이며 놀라움과 괴이함이다. 등사가 旺에 있으면 뛰어난 관리가 갑자기 소송을 당하고, 相에 있으면 땅 도둑이 소송을 일으키고, 死에 있으면 죽거나 초상을 당하는 놀랄 일이 있

---

82) 五行의 旺相休囚死에 따라 판단한다. 나와 같은 계절이면 旺, 나를 도와주는 계절이면 相 등과 같이 해석한다.

83) 임금이 신하를 부를 것

84) 관청의 임명이나 서류

고, 囚에 있으면 수감되는 두려움이 있고, 休에 있으면 질병, 괴이한 일이 있다.

前二朱雀, 天乙羽林軍, 家在丙午, 火神, 主刑獄口舌. 在旺上有縣官口舌, 在相上有錢財婚姻, 在死上有死喪口舌, 在囚上有囚錮囚系, 在休上有疾病, 心腹口腹口竅不利.
귀인 두 번째 앞은 주작이며, 천을우림군이고, 집은 병오에 있다. 화신이며 주는 형벌과 구설이다. 旺에 있으면 관리의 구설이고, 相에 있으면 재물과 혼인이 있고, 死에 있으면 사상과 구설이 있고, 囚에 있으면 수감, 감금이 있고, 休에 있으면 질병이며, 심장과 복부, 입과 복부, 입안이 좋지 않다.

前三六合, 天乙光祿大夫, 家在乙卯, 木神, 主婚姻和合. 在旺上有賞賜遷位, 在相上有嫁娶財物, 在死上有死葬事, 在囚上有婚姻系囚, 陰私謀事, 在休上有疾病陰私之事.
귀인 세 번째 앞은 육합이며, 천을광록대부이며, 집은 을묘에 있다. 목신이며, 주는 혼인과 화합이다. 旺에 있으면 상을 받거나 직위를 옮기게 되고, 相에 있으면 혼인하거나 재물이 있고, 死에 있으면 죽어 장례를 치르는 일이 있고, 囚에 있으면 혼인이나 죄수, 음사를 도모하고, 休에 있으면 질병이나 음사의 일이 있다.

前四勾陳, 天乙大將軍, 家在戊辰, 土神, 主戰鬪刑革. 在旺上有貴人戰鬪, 在相上有貴人爭訟, 在死上有死喪人財物, 在囚上有爭田囚系禁錮, 在休上有爭訟病人田宅事.
네 번째 앞은 구진이며, 천을대장군이며, 집은 무진에 있고, 토신이다. 주는 전투와 형벌이다. 旺에 있으면 귀인의 전투가 있고, 相에 있으면 귀인의 쟁송이 있고, 死에 있으면 사람이나 재물이 죽거나 다치며, 囚에 있으면 밭, 땅 때문에 싸우거나, 죄수로 갇히는 일이고, 休에 있으면 쟁송이나 아픈 사람, 논밭, 집의 일이다.

前五青龍, 天乙丞相, 家在甲寅, 木神, 主錢財慶賀、酒禮婚姻. 在旺上有貴人遷官遠使財物, 在相上有貴人婚姻慶賀之事, 在死上有死人財物, 在囚上有囚系人財物事, 在休上有故吏酒食錢物之事.
다섯 번째 앞은 청룡이고, 천을승상이며, 집은 갑인에 있고, 목신이다. 주는 돈과 재물, 경하할 일, 주례, 혼인이다. 旺에 있으면 귀인이 관직을 멀리 옮기거나 재물을 다스리는 것이고, 相에 있으면 귀인이 혼인, 경사의 일이 있고, 死에 있으면 사람이나 재물이 죽고, 囚에 있으면 죄인이나 재물이 감금되거나 잠기게 되고, 休에 있으면 관리로 인한 주식, 재물의 일이 있다.

後一天后, 天乙后官採女也. 家在壬子, 水神, 主婦女陰私蔽匿之事. 在旺上有嫁娶酒食之事, 在相上有婦女陰私之事, 在死上有死喪財帛之事, 在囚上有奸邪囚系, 在休上有陰私疾病之事.
뒤쪽 첫 번째는 천후이며, 천을후관채녀이다. 집은 임자에 있고, 수신이다. 주는 부녀, 음사, 은닉의 일이다. 旺에 있으면 시집 장가를 가거나 술과 음식, 재물의 일이고, 相에 있으면 부녀, 음사의 일이고, 死에 있으면 죽고 다치는 재백의 일이고, 囚에 있으면 간사, 감금의 일이고, 休에 있으면 음사, 질병의 일이다.

後二太陰, 天乙御史中丞也. 家在辛酉, 金神, 主陰私金帛. 在旺上有嫁娶陰私事, 在相上有財物蔽匿事, 在死上有死喪陰私事. 在囚上有陰私囚系事, 在休上有巫系蔽匿事.
천을귀인 뒤쪽 두 번째는 태음이며, 천을어사중승이다. 집은 신유에 있고, 금신이며, 주는 음사, 돈과 비단이다. 旺에 있으면 결혼, 음사의 일이고, 相에 있으면 재물, 은닉의 일이고, 死에 있으면 죽어 상을 당하거나 음사의 일이고, 囚에 있으면 음사, 감금의 일이고, 休에 있으면 무당에 얽힌 일, 은닉의 일이다.

後三玄武, 天乙後將軍也. 家在癸亥, 水神, 主遺亡盜賊離別事. 在旺上有貴人亡遺失去財物事, 在相上有縣官亡失財物事, 在死上有死人賊盜財物事, 在囚上有賊盜囚系事, 在休上有亡失病人財物事.
천을귀인 뒤 세 번째는 현무이며, 천을후장군이다. 집은 계해에 있고, 수신이며, 주는 죽어 남는 일, 도적, 이별의 일이다. 旺에 있으면 귀인이 재물을 잃어버리는 일이고, 相에 있으면 관리가 재물을 잃어버리는 일이고, 死에 있으면 죽은 사람이 재물을 도둑맞는 일이고, 囚에 있으면 도적이 잡혀 갇히는 일이고, 休에 있으면 환자의 재물을 잃어버리는 일이다.

後四太常, 天乙卿也. 家在己未, 土神, 主財物田宅衣服賞賜事. 在旺上有貴人財物酒禮喜事, 在相上有祠祭祀衣食媒婚吉事, 在死上有謚贈財物事, 在囚上有縣官召命, 在休上有病人衣服錢財事.
천을귀인의 뒤 네 번째는 태상이며, 천을경이다. 집은 기미에 있고, 토신이며, 주는 재물, 전택, 의복, 상을 하사하는 일이다. 旺에 있으면 귀인이 재물, 주례의 기쁜 일이고, 相에 있으면 사당의 제사, 옷과 음식, 중매의 길한 일이며, 死에 있으면 재물이 늘어나는 일이며, 囚에 있으면 관리가 명을 받는 일이고, 休에 있으면 병든 사람, 의복, 돈, 재물의 일이다.

後五白虎, 天乙遷尉也. 家在庚申, 金神, 主錢財 誣咒 重囚系 疾病 死喪 骸骨之事. 在旺上有哭泣遭官, 在相上有怨仇相爭, 在死上有死喪疾病, 在囚上有囚系沉淪, 在休上有疾病災禍事.
천을귀인 뒤 다섯 번째는 백호이며, 천을천위이다. 집은 경신에 있고, 금신이며, 주는 돈과 재물, 무당의 주문, 모함, 중죄인, 질병, 사상, 해골의 일이다. 旺에 있으면 슬플 일, 벼슬길에 오르고, 相에 있으면 원한, 서로 다투고, 死에 있으면 사상, 질병이 있고, 囚에 있으면 수감, 몰락하고, 休에 있으면 질병, 재앙의 일이다.

後六天空, 天乙司直. 家在戊戌, 土神, 主欺詒無信, 奸譎詐僞. 在旺上有貴人欺誕之事, 在相上有財物欺詒之事, 在死上有欺詐死人事, 在囚上有冊獄欺詒之事, 在休上有被人欺詒之事.
천을귀인 뒤 여섯 번째는 천공이며, 천을사직이다. 집은 무술에 있고, 토신이며, 주는 사기, 불신, 간사이다. 旺에 있으면 귀인의 황당한 일이며, 相에 있으면 재물, 사기의 일이며, 死에 있으면 사기, 살인의 일이며, 囚에 있으면 투옥, 사기로 판결받는 일이고, 休에 있으면 사기를 당하는 일이다.

釋造式 第三十 (조식을 설명하다)

玄女曰 造式之法, 以楓子為天. 楓子者, 楓樹之別株. 自生大枝傍, 遠望與母齊, 近視高下異也. 又以棗心為地, 以象天地陰陽之象. 楓者, 眾木之精. 棗者, 群木之使. 物之靈者, 莫過於此.
현녀에 이르기를 조식의 방법은 풍자로 하늘을 만든다고 하였다. 풍자는 단풍나무의 별개 그루이다. 자생하고 있는 큰 곁가지로, 멀리서 보면 어머니와 더불어 가지런하고, 가까이서 보면 높낮이가 다르다. 또한 대추나무의 속으로 땅을 만드니, 천지 음양의 상이다. 단풍나무는 나무들의 정(精)이며, 대추나무는 나무들의 사(使)이다. 만물의 영(靈)은 이것을 넘지 못한다.

注雷公殺律云 式局有三, 木之道, 以霹靂棗心為上, 檀木為中, 以柹木為下. 無霹靂棗心, 取舊車軸, 亦為次也, 須擇良者為之. 造式天中作斗杓, 指天罡.
주뢰공살율에 이르기를 식국[85]에는 3가지가 있는데, 나무는 벼락 맞은 대추나무 속으로 만든 것이 최상이고, 박달나무 속으로 만든 것이 가운데, 감나무로 만들 것이 아래이다. 벼락 맞은 대추나무 속이 없으면, 오래된 수레 축을 구해 쓰면 이것이 그 다음으로 좋으니 그것을 사용한다. 식을 만들 때 천반 가운데에는 북두칠성을 새겨 천강[86]을 가리키게 한다.

次作十二辰, 中列二十八宿, 四維局. 地列十二辰、八干、五行、三十六禽、天門地户人門鬼路四隅訖.

85) 식반과 같다.
86) 천강은 진술의 방향을 나타낸다.

다음으로 12진을 만들고, 가운데에는 이십팔수을 배치하여, 4개 구석 판을 만든다. 땅에는 십이진을 나열하고, 팔간[87], 오행, 삼십육금[88], 천문, 지호, 인문, 귀호[89]를 네 귀퉁이에 넣는다.

天子式, 天廣六寸象六律, 地廣一尺二寸象十二辰. 王公侯伯式, 天廣四寸象四時, 地廣九寸象九宮. 卿大夫式, 天廣三寸象三才, 地廣七寸象七曜. 士庶人式, 天廣二寸四分象二十四氣, 地廣六寸象六律. 次局, 天廣八分, 象八卦, 地廣三寸法三才也.

천자의 식[90]은 천반은 6촌 너비이니 육율[91]을 나타냄이고, 지반은 1자 2촌 너비이니 십이진을 나타냄이다. 왕, 공, 후, 백의 식은 천반이 4촌 너비이니 사시[92]를 나타내고, 지반이 9촌 너비이니 구궁[93]을 나타낸다. 향대부의 식은 천반이 3촌 너비이니 삼재[94]를

---

87) 戊己를 제외한 甲, 乙, 丙, 丁, 庚, 辛, 壬, 癸를 나타낸다

88) 36가지의 짐승을 나타낸다. 자부터 축까지 12가지 짐승에 각각 2가지씩이 더해져서 36가지가 된다. 象(고슴도치)또는 貛(오소리, 이리), 豚(돼지), 豬(암돼지), 螋(살모사) 또는 蝠(박쥐), 鼠(쥐), 鷰(제비), 牛(소), 獬(해태) 또는 蟹(게), 鼈(자라), 豹(표범), 狸(살쾡이), 虎(호랑이), 猬(고슴도치), 兎(토끼), 狢(오소리, 담비), 龍(용), 鮫(이무기) 또는 鯨(고래), 魚(물고기), 蟫(백어,빈대좀), 蟬(매미, 두꺼비) 또는 鱓(드렁허리), 蛇(뱀), 鹿(사슴), 馬(말), 獐(노루), 羊(양), 鷹(매), 鴈(기러기), 狙(긴팔원숭이), 猨(원숭이), 猴(원숭이),鳩(꿩, 새매), 鷄(닭), 烏(까마귀) 또는 鳶(솔개), 狗(개), 豺(승냥이), 狼(이리,늑대)이다.

89) 천문은 서북, 지호는 남동, 인문은 서남, 귀문은 동북 방향을 나타낸다.

90) 천지를 나타내는 식반을 말한다.

91) 육율은 십이율려 가운데 양에 해당하는 여섯 음인 황종(黃鍾), 태주(太蔟), 고선(姑洗), 유빈(蕤賓), 이칙(夷則), 무역(無射)을 나타낸 것으로, 일년 열두 달의 음양소장에 따라 만들어졌다.

92) 봄, 여름, 가을, 겨울 사계절을 나타낸다.

93) 동, 서, 남, 북과 그 사이 동북, 동남, 서남, 서북과 중앙을 합하여 구궁이라 한다. 하도, 낙서에서 유래한 것으로 본다.

94) 천, 지, 인을 합하여 삼재라 한다. 자연과 인간을 합하여 언급하는 것으로 인간을 천지와 같은 수준으로 끌어올린 것이다.

나타내고, 지반이 7촌 너비이니 칠요[95]를 나타낸다. 사대부와 서인의 식은 천반이 2촌 4분 너비이니 24절기를 나타내고, 지반은 6촌 너비이니 육율을 나타낸다. 다음 국은 천반이 8분 너비이니 팔괘의 상이고, 지반이 3촌 너비이니 삼재의 법도이다.

刻式之法用十一月壬子日, 神在內時, 起手刻之, 至甲子日, 醮而盛以縫囊, 依法加臨而佩之.

식을 새기는 법은 11월 임자일에, 神이 안에 있을 시간에 손을 들어 새기기 시작하여 갑자일까지 하고, 성대하게 제를 올리고, 주머니에 담아 법에 따라 착용한다.

95) 칠요는 해, 달과 수성, 금성, 화성, 목성, 토성을 나타내는 말이다. 일월과 오행의 구성요소이다.

釋用式 第三十一 (용식을 설명하다)

金匱經曰 用式之法, 朝向南, 暮向北. 當以左手執鬼門, 右手轉月將以加正時. 視日辰上下陰陽, 以立四課.
금궤경에 이르기를 식반을 사용하는 방법은 아침에는 남쪽을 향하고, 저녁에는 북쪽을 향한다. 왼손으로 귀문을 잡고, 오른손으로 월장을 돌려 정시에 가한다. 일진 아래 위의 음양을 보고, 사과를 세운다.

日上神為日之陽神, 日上神本位所得之神為日之陰神. 辰上神為辰之陽神, 辰上神本位 所得之神為辰之陰神.
일간의 상신은 일간의 양신이 되고, 일상신의 본위가 얻은 신이 일간의 음신이 된다. 지진 상신은 지진의 양신이 되고, 지진 상신의 본위가 얻은 신이 지진의 음신이 된다.

四課之中, 察其五行, 先取相克者為用, 先以下克上為用, 若無下克上, 即以上克下為用. 若三上克下, 一下克上, 當以一下克上為用. 若四上克下, 四下克上, 即以與今日比者為用.
사과 가운데 그 오행을 살펴, 먼저 상극을 취하여 사용한다[96]. 먼저 하극상 하는 것이 초전이 되고, 만약 하극상이 없으면 상극하가 초전이 된다. 만약 상극하가 3개이고, 하극상이 하나면 당연히 하극상 하나를 초전으로 쓴다. 만일 상극하가 4개이거나 하극상이 4개이면 오늘과 비교하여 같은 것(比)을 초전으로 쓴다[97].

---

96) 용(用)이라는 초전으로 올린다는 말이며 발용(發用)이라고도 한다. 용은 사용한다는 의미이나 육임에서는 상극이 되는 사과 중 하나를 발용시킬 때 쓴다(用)고 표현한다.

比俱不比, 以涉害深者為用. 涉害複等, 先日後辰為用, 剛日用日上神為用, 柔日用辰上神為用.

비교하여 모두 같지 않으면 섭해를 초전으로 쓴다. 섭해는 여러 개가 같은 것으로 먼저 일간 다음에 지진을 초전으로 쓴다. 강일[98]에는 일상신이 발용이 되고, 유일에는 진상신이 발용이 된다.

四課陰陽不相克者, 以遙相克為用. 若日遙克神, 神遙克日, 始取神遙克日為用. 如無神遙克日, 便用日遙克神.

사과 음양이 상극하지 않는 것은 요극[99]이 발용이 된다. 만약 일간이 神을 요극하고 또 神이 일간을 요극하면, 먼저 일간을 요극하는 神을 취하여 초전으로 쓴다. 일간을 요극하는 神이 없으면, 일간이 요극하는 神을 쓴다.

若有日克兩神, 兩神克日, 並取今日比者為用. 四課陰陽上下, 並不相克, 又無遙相克, 當以昴星為用.

만약 일간이 두 신을 극하거나, 두 개의 신이 일간을 극하면, 오늘 일간과 비교하여 같은 것이 발용이 된다. 사과 음양 상하가 서로 모두 극하지 않고, 또 요극 상극이 없으면 당연히 묘성이 발용 된다.

---

97) 양일은 양간을, 음일은 음간을 쓴다.

98) 강일은 일간이 甲丙戊庚壬의 양간인 경우이고 유일은 일간이 乙丁己辛癸의 음간인 경우다.

99) 멀리서 상극하는 것을 말한다.

剛日仰視, 以酉上所得之神為用. 柔日俯視, 以從魁 所臨之辰為用. 當以日辰上神重之為中, 末傳不得傳於中. 剛日先傳辰, 後傳日. 柔日先傳日, 後傳辰.
강일에는 위를 우러러 보니, 酉 위에 있는 신이 발용이 된다. 유일에는 내려보니, 從魁가 임한 지진이 발용이 된다. 당연히 일진 상신에서 중요한 것을 중전으로 하고 말전은 중전을 얻지 못한 것으로 한다. 강일에는 중전은 지상신, 말전은 간상신이다. 유일에는 중전은 간상신을, 말전은 지상신이다.

若四課無遙相克, 乃陰陽不備之時, 當以別責為用.
만일 사과가 요극이 없으면, 이는 음양 불비의 때이므로 당연히 별책이 발용이 된다.

別責之課, 其數有九. 剛日有三, 謂戊辰、戊午、丙辰, 日各有一課. 柔日有六, 謂辛未、辛丑日各有二課, 丁酉、辛酉日各二課, 辛酉曰有一課.
별책과는 아홉 개가 있다. 강일에는 3개가 있으니 무진, 무오, 병진일에 각 1과씩 있다. 유일은 6개가 있으니 신미, 신축일 각 2과, 정유, 신유일 각 2과, 신유일 1과가 있다.

剛日別責取干合上神為卦首, 次傳日上與終傳同. 柔日別責取支合上神本位 所得之神為卦首, 次日上與終傳同.
강일 별책은 간합 상신을 취하여 괘의 머리가 되고, 다음 중전은 간상신이고 말전도 같다. 유일 별책은 지합 상신 본위가 얻은 신이 괘의 머리가 되고, 중전은 일상과 말전이 같다[100].

100) 별책은 강일의 경우는 간상신을 중말전에 사용하지만, 유일의 경우는 지상신을 중말전에 사용한다. 글을 쓰면서 오기(誤)記가 있었던 것 같다. 次辰上與終傳同가 되어야 한다.

各以神將言其吉凶.
각각의 신장으로 그 길흉을 말한다.

天地伏吟返吟課有相克者, 並有比及涉害深者為用. 伏吟課, 己癸子[101] 二柔日課有相克. 癸丑一日, 猶屬八專伏吟.
천지 복음 반음과는 상극이 있는 것은 비용이나 섭해가 있는 것이 발용이 된다. 복음과는 己癸日 두 유일의 과[102]는 상극이 있다. 계축일 하나만 오직 팔전에 속하는 복음이다.

六乙日有克自刑者, 當以克處為課首. 次傳其辰, 衝動所刑為中、末傳, 謂六乙日也. 伏吟, 六癸日有克者, 當以克處為課首, 盡刑為三傳.
육을일은 극과 자형이 있고, 당연히 극하는 곳이 과수가 된다. 중전은 진, 충동하여 형하는 것이 중, 말전이 되니 육을일이라 한다. 복음과 여섯 癸日은 극이 있고, 당연히 극하는 것이 초전이 되고 刑이 삼전이 된다.

伏吟無克者, 剛日以日上神為用, 柔日以辰上神為用, 為課首, 皆盡其三刑為中、末傳. 若得自刑者, 剛日則先傳日, 次傳辰, 辰所刑為末傳. 柔則先傳辰, 次傳日, 日所刑為終傳. 更若次傳自刑者, 即以衝為末傳也.
복음 무극인 것은 강일에는 일간상신이 발용되고, 유일에는 지진상신이 발용되어, 초전가 된다. 모두 三刑이 중·말전이 된다. 만약 自刑을 얻으면, 강일에는 일간을 초전으로, 중전은 지진, 지진의

101) 子는 日의 오기로 보인다.
102) 己亥日, 己卯日 복음은 상극이 있다. 또, 癸丑日, 癸巳日, 癸未日, 癸亥日 복음은 상극, 요극이 있다.

刑이 말전이 된다. 유일에는 지진을 초전, 중전은 간상, 일간을 刑하는 것을 말전으로 한다. 또 만약에 중전이 自刑이면 충(冲)을 말전으로 한다.

返吟課多相克, 惟丁丑、己丑、辛丑、丁未、己未、辛未無克, 丁未、己未猶為八專. 餘四柔日當以辰衝為用. 辰衝者, 丑冲巳、巳冲丑、未冲亥、亥冲未. 丑日冲巳, 巳上見徵明為初傳. 皆以辰上為次傳, 日上為末傳. 未冲亥, 亥上見太乙為初傳, 皆以辰上為次傳, 日上為末傳.
반음과는 상극 많다. 정축, 기축, 신축, 정미, 기미, 신미는 극이 없고, 정미, 기미는 팔전이다. 나머지 네 유일은 당연히 지진의 충이 발용이 된다. 지진이 冲한다는 것은 丑은 巳를 충하고, 巳는 丑을 충한다. 未는 亥, 亥는 未를 충한다. 丑日은 巳를 충하고, 巳 위에 등명이 초전이 된다. 모두 진상이 중전, 간상이 말전이 된다. 未는 亥를 충하고, 亥 상의 태을이 초전이 된다. 모두 진상이 중전, 간상이 말전이 된다.

八專之日惟有兩課, 見有克者, 亦以比及涉害深者為用. 若無克, 剛日從日上陽神順數三辰為用, 柔日從辰上陰神逆數三神為用, 中傳末傳當以日辰上神重之. 又云末傳與初傳同, 八專之日惟有兩課也.
팔전일은 오직 두 과만 있으며, 극이 보이면 마찬가지로 비용, 섭해가 발용이 된다. 만약 극이 없으면, 강일은 일상 양신에서 순방향으로 3번째 진이 발용이 되고, 유일에는 진상 음신에서 역행으로 3번째 신이 발용이 된다. 중전과 말전은 당연히 일진 상신을 거듭 쓴다. 다시 말하지만, 말전과 초전이 같고, 팔전의 날에은 오직 두 과만 있을 뿐이다.

釋避忌 第三十二 (피기를 설명하다.)

啟明式例曰 用式法當避太歲月建、及月忌日忌. 正五九月忌卯時, 二六十月忌子時, 三七十一月忌酉時, 四八十二月忌午時.
계명식례에 이르기를 식을 사용하는 방법은 당연히 태세, 월건과 月忌, 日忌를 피한다. 1월, 5월, 9월은 묘시를 꺼리고, 2월, 6월, 10월은 자시를 꺼리고, 3월, 7월, 11월은 유시를 꺼리고, 4월, 8월, 12월은 오시를 꺼린다[103].

又忌法云 甲乙日忌酉時、丙丁日忌子時, 戊己日忌卯時, 庚辛日忌午時, 壬癸日忌未時. 右忌日時不可占事, 誤用者當損用式之人也.
또, 기법에 이르기를 갑을일은 유시를 꺼리고, 병정일은 자시를 꺼리고, 무기일은 묘시를 꺼리고, 경신일은 오시를 꺼리고, 임계일은 미시를 꺼린다[104]. 강하게 꺼리는 날에는 점을 쳐서는 안 된다. 틀리게 사용하는 자는 당연히 점보는 사람에게 손해를 끼친다.

---

103) 寅午戌月은 卯시, 亥卯未는 子시, 申子辰은 酉, 巳酉丑은 午시를 꺼린다. 桃花殺이다.
104) 상충의 위치에 있으면 꺼린다.

釋次客 第三十三 (차객을 설명하다)

玄女曰 陽將臨正時, 先用後三, 次用前五. 陰將加正時, 先用前五, 次用後三.

현녀에 이르기를 양장(陽將)이 정시에 임할 때, 먼저 후삼을 쓰고, 다음에 전오를 쓴다.

음장(陰將)이 정시에 임할 때, 먼저 전오를 쓰고, 다음에 후삼을 쓴다.

假令十二月占事, 第一人用月將神後, 第二人用月將後三從魁, 第三人用前五功曹. 餘皆仿此例.

가령, 십이월 점사에서, 첫째 사람이 월장 신후를 사용하였다면, 둘째 사람은 후삼인 종괴를 월장으로 쓰고, 세 번째 사람에게는 전오인 공조를 월장으로 쓴다. 나머지는 모두 이러한 방식을 따른다.

靈轄經曰 用次客法, 第一客月將加正時, 第二客用月建加太歲, 第三客用太歲加月建, 第四客用月建加日乾, 第五客用歲干加正時, 第六客用月將加日乾, 第七客用月將加太歲, 第八客用太歲加月將, 第九客用月將加本命, 第十客用月將加行年, 十一客用太歲加本命, 第十二客用太歲加行年.

영할경에 이르기를 차객법을 쓰는 방법은, 첫 번째 손님은 월장을 정시에 가하고, 두 번째 손님은 월건을 태세에 가하여 쓰고, 세 번째 손님은 태세를 월건에 가하여 쓰고, 네 번째 손님은 월건을 일건에 가하여 쓰고, 다섯 번째 손님은 세간을 정시에 가하여 쓰고, 여섯 번째 손님은 월장을 일건에 가하여 쓰고, 일곱 번째 손님은 월장을 태세에 가하여 쓰고, 여덟 번째 손님은 태세를 월장에 가하여 쓰고, 아홉 번째 손님은 월장을 본명에 가하여 쓰고, 열 번째 손님은 월장을 행년에 가하여 쓰고, 열한 번째 손님은 태세를 본명에 가하여 쓰고, 열두 번째 손님은 태세를 행년에 가하여 쓴다.

釋次籌 第三十四 (차주를 설명하다)

靈轄經曰 次籌之法, 皆以第一籌用月將. 若用陽將, 則先用後三而前五. 若用陰將, 則用前五而後三. 逆順更籌, 終而複始.
영할경에 이르기를 차주법은, 모두 첫 번째 산가지로 월장을 쓴다. 만약 陽將이면 먼저 후삼을 쓰고 이어 전오를 쓴다. 만약 陰將이면, 먼저 전오를 쓰고 이어 후삼을 쓴다. 역순으로 산가지를 고치고, 끝나면 처음부터 다시 시작한다.

一法, 以太歲上神三傳以知三事, 以月建上神三傳以知三事, 以日上神三傳以知三事, 以正時上神三傳以知三事. 則十二籌次客備焉.
다른 한 가지 방법은 태세 상신 삼전으로 세 가지 일을 알 수 있고, 월건 상신 삼전으로 세 가지 일을 알 수 있고, 일간 상신 삼전으로 세 가지 일을 알 수 있고, 정시 상신 삼전으로 세 가지 일을 알 수 있다. 즉, 열두 산가지로 차객을 준비하라.

釋行年 第三十五 (행년을 설명하다)

靈轄經曰 男一歲從丙寅順行, 從一歲移一辰, 十一歲丙子, 二十一歲丙戌. 餘皆仿此. 終而複始, 順行而數.
영할경에 이르기를 남자는 1살에 병인에서 순행하여 따르니, 한 살에서 一辰씩 옮겨, 십일세에 병자, 21세에 병술이 된다. 나머지는 모두 이와 같다. 마지막에는 처음부터 다시 시작하여 순행하여 센다.

女一歲, 從壬申逆行, 一歲移一辰, 一歲壬申, 十一歲壬午. 餘皆仿此. 終而複始, 逆行而數.
여자는 1세에 임신에 역행하여, 한 살에 一辰씩 이동하며, 한 살에 임신, 십일세에 임오가 된다. 나머지는 모두 이와 같다. 마지막에 이르면 다시 시작하여, 역행하여 센다.

釋將傳 第三十六 (천장과 삼전을 설명하다)

玄女曰 六壬之道, 皆取三傳. 相生則吉, 相克則凶. 傳見天乙, 貴人詔命. 朱雀, 文書口舌. 六合, 嫁娶婚姻. 勾陳, 鬥訟田土. 青龍, 貞觀君子. 天后, 婦女貴人. 太陰, 所處娶婦. 玄武, 陰私奸宄. 太常, 冠帶仕宦. 白虎, 死喪折傷. 天空, 萬事欺詒. 螣蛇, 驚恐怪異.
현녀에 이르기를 육임의 도는 모두 삼전을 취한다. 상생은 길하고 상극은 흉하다. 삼전에서 천을을 보면, 귀인은 조정의 부름이다. 주작은 문서,구설이다. 육합은 시집, 장가, 혼인이다. 구진은 소송, 밭과 땅이다. 청룡은 올바른 군자이다. 천후는 부녀자, 귀부인이다. 태음은 시집, 결혼이다. 현무는 음사, 도둑이다. 태상은 관직, 벼슬아치이다. 백호는 죽음과 상처, 부러지는 상처이다. 천공은 모든일이 사기이다. 등사는 공포, 기괴이다.

集神經云 王氣所勝, 法憂縣官. 相氣所勝, 法憂財物. 死氣所勝, 法憂死喪. 囚氣所勝, 法憂刑獄. 休氣所勝, 法憂疾病.
집신경에 이르기를 왕기가 승한 곳은 관리를 걱정하는 법이다. 상기가 승한 곳은 재물을 걱정하는 법이다. 사기가 승한 곳은 사상을 걱정하는 법이다. 수기가 승한 곳은 형옥을 걱정하는 법이다. 휴기가 승한 곳은 질병을 걱정하는 법이다.

神匱經曰 子傳母而失禮, 母傳子為順道. 失禮則所作違礙, 順道則慶無不疑. 此用式之常例.
신궤경에 이르기를 자식이 어머니에게 전하면 예를 잃은 것이고, 어머니가 자식에게 전하면 도를 따르는 것이다. 예를 잃었다는 것은 작위가 의심된다는 것이니, 도를 따르는 것은 공경하고 의심이 없는 바이다. 이것이 식을 사용하는 상례이다.

金匱經曰 傳得其體而無憂. 假令功曹為用, 傳得神后, 又與吉將並者, 故曰傳得其體而無憂.
금궤경에 이르기를 전이 그 체를 얻으면 걱정이 없다. 가령 공조가 발용이 되고 전이 신후를 얻고 또 더불어 길장이 승하면, 전이 그 체를 얻어 걱정이 없다고 한다.

集靈經曰 人年上見水神, 用起金神臨火, 水能救金, 火見水則滅. 此為有救無咎.

집영경에 이르기를 사람의 행년 상에 水神을 보면, 발용이 金神이고 火에 臨해도, 水는 능히 金을 구하니, 火는 물을 보니 줄어든다. 이는 구함이 있되 허물없는 것이다.

玄女曰 占萬事大要視支干上下相生. 相生有氣, 前後吉將, 三傳終來克始. 當此之時, 遠行萬里, 入水不溺, 入兵不傷, 入病不死, 惡寇不逢, 所求必得, 所作必成, 出幽入冥, 所為神靈. 以此秘法, 示之昭明.
현녀에 이르기를 모든 일을 점치는 데 있어 가장 중요한 것은 간지 상하가 상생하는 것을 보는 것이다. 상생하고 기운이 있고 전후에 길장이 있으면, 삼전은 마지막에 처음을 극하러 온다. 당연히 이때는 멀리 가면 만리를 가고, 물에 들어가도 빠지지 않고, 군대에 가도 다치지 않고, 병에 걸려도 죽지 않고, 나쁜 도적을 만나지 않고, 구하는 바는 반드시 이루고, 만들고자 하는 것은 반드시 이루고, 어두운 곳에서 나와 명부에 들어도 신령이 된다. 이 비법으로 분명하게 나타내었다.

釋神變 第三十七 (천신의 변화를 설명하다)

靈轄經曰 木神加木, 主文書木器以至縣官. 火神加火, 憂婦女口舌, 或因田宅以至官司. 土神加土, 或爭田園, 家宅離散移動. 金神加金, 主遷移或分財異居. 水神加水, 主爭財帛鰥寡之象.
영할경에 이르기를 목신이 木에 가하면, 주는 문서, 나무 그릇이며 관리에 이른다. 화신이 火에 가하면, 부녀, 구설을 걱정하고, 혹은 전택으로 인하여 관리에 이른다. 토신이 土에 가하면, 밭이나 정원을 두고 다투며, 가택이 뿔뿔이 흩어져 이동한다. 금신이 金에 가하면 주는 이주 혹은 재물을 나누어 다른 곳에 사는 것이다. 수신이 水에 가하면, 주는 재백을 다투고, 홀아비, 과부의 상이다.

說云 金入木主縣官鬪訟, 土入水主亡遺財物室有病人, 木入土主牢獄口舌相傷, 水入火主驚恐六畜亡失, 火入金主囚系有罪 女人爭競之事.
설에 전하기를 金이 木에 들어가면 주는 관리, 소송이며, 土가 水에 들어가면 주는 재물을 잃어버리고, 집에는 병자가 있고, 木이 土에 들어가면 주는 투옥, 구설, 상해이고, 水가 火에 들어가면 주는 공포, 가축을 잃어버리는 것이고, 火가 金에 들어가면 주는 죄가 있어 감옥이 들어가고, 여자가 경쟁하는 일이다.

釋常例 第三十八 (상례를 설명하다.)

靈轄經曰 上克下, 事起男子. 下克上, 事起女人. 上克下憂輕, 或屬他人. 下克上憂重, 或至己身. 辰克日為用, 或時克辰, 皆禍從外來. 日克辰, 辰克將, 皆禍從內起105).

영할경에 이르기를 上剋下는 일이 남자에게 일어난다. 下剋上은 일이 여자에게서 일어난다. 上剋下는 걱정이 가볍고, 또 타인에 속한다. 下剋上은 우환이 깊어지고, 또 자신에게 미치게 된다. 辰이 일간을 극하여 발용이 되거나, 또는 時가 지진을 극하면, 모든 화가 밖에서 온다. 일간이 지진을 극하고 지진이 천장을 극하면, 모든 재앙이 안에서 일어나 따른다.

伏吟事近, 返吟事遠. 比用, 主比鄰親近, 仰視俯視. 剛日遠行, 稽留關梁. 柔日伏藏, 不出邑里. 八專逆順, 皆淫亂搖動, 事起婦人,

복음은 일이 가깝고, 반음은 일이 멀다. 비용은 이웃, 친구와 가깝고, 우러러보고 내려다 본다. 강일은 멀리 가서 관문을 지키는 것이다. 유일은 엎드려 숨고 동네 밖으로 나가지 않는다. 팔전은 순리를 거스르고, 모두 음란이 요동치며 부인에게 일이 일어난다.

四上克下, 客勝主人, 皆為賊害臣下之象, 室家之孤獨. 四下克上, 主人勝客, 皆為悖逆之道, 妨害二親滅亡之象. 天乙臨二門, 皆主動搖不寧其居. 日辰陰陽, 在天一前主事速, 在天一後主事遲也.

네 개의 上剋下는 객이 주인을 이기는 것이고, 모두 도둑이 되어 신하를 해치는 상이며, 집안이 고독하다. 네 개의 下剋上은 주인이

---

105) 상례는 일반적인 예를 나타내는 말이다.

객을 이기는 것이고, 모두 도리에 어긋나고, 부모를 방해하고 멸망시키는 상이다. 천을이 두 문[106] 앞에 임하면, 모두 주는 동요하여 머물기가 편하지 않다. 일진 음양이 천을의 하나 앞에 있으면 일이 빠르고, 천을 하나 뒤에 있으면 일이 느리다.

---

106) 이문(二門)은 천문과 지호를 말한다. 천을귀인이 일을 하러 나오거나 일을 마치고 들어가는 시간이다. 따라서 동요되고 불안정하다.

釋卦略 第三十九 (괘략을 설명하다.)

黃帝曰 幾其始至為方來.
황제에 이르기를 그 시작과 끝의 기미는 찾아온다.

集靈經曰 欲知吉凶期者(看遲速)假令 春占功曹太衝為用, 則喜事旦至, 為春木王故也.
집영경에 이르기를, 길흉의 시기를 알고자 하는 것은 (느리고 빠름을 보고자 하면), 가령 봄 정단에서 공조, 태충이 발용하면, 즉 기쁜 일이 갑자기 찾아온다. 봄은 나무가 旺한 까닭이다.

黃帝曰 在其中為已至. 占事, 孟夏用起傳送. 金生巳, 故云已至.
황제에 이르기를 가운데 있으면 이미 이르렀다 하였다. 한 여름[107]에 전송이 발용하는 점사이다. 金이 巳를 생하는 까닭에 이미 이르렀다고 말한다[108].

又曰 幾其時 晩為已去. 謂季夏, 土旺金相之時, 火神休氣, 所以始謝為晩, 故曰已去.
또 이르기를, 얼마 되지 않은 것은 늦었고 이미 지난 것이다. 이른바, 季夏는 土가 旺하고, 金이 相인 때이고 화신은 休氣이다. 따라서 보답하기에는 늦었으니, 이미 지났다고 말한다.

又曰 凡占吉凶, 未來已去之期, 視神將來為來事, 去為去事也. 吉

---

107) 한 여름은 午이다. 午는 여름철 巳午未의 가운데이다.
108) 전송은 申, 申加巳 발용이니 亥加申 중전이고, 寅加亥가 말전이다. 지신이 천신을 생한다.

凶期者, 假令正月占事, 其人年立寅, 太乙為朱雀加年, 則本年四月丙丁日, 當有縣官失火事. 若徵明, 為玄武臨年, 則去歲十月壬癸日, 有亡遺盜賊逃叛之事.

또 이르기를, 길흉의 미래와 과거 시기를 점하는 것은 천장이 오면 다가올 일이고, 천장이 가면 지난 일이 된다. 길흉의 시기라는 것은, 가령 정월 점사에서, 그 사람 행년이 寅이라면, 태을이 주작이고 행년에 가하니, 금년 4월 병정일이며, 관리의 화재 사건이다[109]. 만약, 징명이 현무가 되어 행년에 임하면, 작년 10월 임계일에 잃어버리거나, 도둑이 도망가는 일이 있었다[110].

金匱經曰 歲月日時為期, 得歲不出歲, 得月不出月, 得日不出日, 得時不出時也.

금궤경에 이르기를 년월일시는 시기이며, 태세를 얻으면 올해 나오지 않고, 월을 얻으면 월에 나오지 않고, 일을 얻으면 일에 나오지 않고, 시를 얻으면 시에 나오지 않는다.

假令歲在亥, 用起徵明為事在今歲二月. 用太衝為事在今月中. 寅日用起功曹, 為事在今日. 用起神后, 事在旬中. 午時占事, 用起勝光, 事在須臾.

가령 태세가 亥이고, 징명이 발용하면, 일은 금년 2월에 이루어진다. 태충이 발용하면, 일은 금월 중에 된다. 寅日에 공조가 발용하면 일은 오늘 된다. 신후가 발용하면 일은 旬 중에 있다. 午시 점사에서 승광이 발용하면 일은 모름지기 잠시 후에 있다.

黃帝曰 數之一魁離日. 假令占事, 河魁加未, 未數八, 河魁數五, 五

---

109) 巳가 행년 寅보다 앞에 있으니 다가올 일이다. 따라서 금년 4월에 일어날 일이고, 주작은 화재이다.

110) 亥가 행년 寅보다 뒤에 있으니 지난 일이다. 亥月은 10월이고 현무는 도난, 도둑의 일이다.

八四十, 為吉凶之事在四十日之內也. 餘准此.
황제에 이르기를 일이라는 숫자는 하괴가 일을 나누는 것이다[111]. 가령 점사에서 하괴가 未에 가하면, 未는 8, 하괴는 5, 오팔사십, 일의 길흉은 40일 내에 있다. 나머지도 이를 기준으로 한다.

黃帝曰 將得所勝, 禍從外來. 假令 年上見功曹, 將得太陰, 金將克木, 故禍從外來.
황제에 이르기를 천장이 이기는 곳에 있으면, 재앙은 바깥에서 따라온다. 가령 행년 상에 공조를 보고, 태음이 천장이면, 금 천장이 木을 극하므로 재앙은 바깥에서 온다[112].

黃帝曰 將得所畏, 禍從內出. 假令傳送臨午, 將得青龍, 木畏金神, 故禍從內出. 審其內出, 終傳以知事之情偽也. 陽之憂事發他人, 言日辰上賊神將也. 陰之憂事發於己身, 言神將下克日辰也.
황제에 이르기를 천장이 두려워 하는 곳에 있으면, 재앙은 안에서 따라 나온다. 가령 전송이 午에 임하여 청룡을 천장으로 얻으면, 木은 금신을 두려워하므로 재앙은 안에서 따라온다[113]. 안에서 나오는 것를 살피고, 말전이 그 일의 사정과 진위를 알게 한다. 양신의 걱정되는 일은 타인에게서 생기고, 일진이 신장을 상적[114]하는 것을 말한다. 음신의 걱정되는 일은 자신에게서 생기고, 천장이 일진을 하극[115]하는 것을 말한다.

---

111) 괴(魁)는 북두칠성을 말하고, 일(日)은 태양, 하루를 말한다. 북두칠성은 계절에 따라 꼬리 위치가 달리지며, 이에 따라 하루가 흘러간다. 계절에 따라 북두칠성이 가리키는 방향이 아침 태양과 달라진다.
112) 외전을 말한다.
113) 내전을 말한다.
114) 하극상을 말한다.
115) 상극하를 말한다.

黃帝曰 神將內戰, 禍害難解. 神將外戰, 禍微易解. 神克將為內戰, 將克神為外戰也

황제에 이르기를, 신장 내전은 재해을 풀기 어렵다. 신장 외전은 재앙이 미미하고 풀기 쉽다.

신이 천장을 극하면 내전이 되고, 천장이 신을 극하면 외전이 된다.

부록

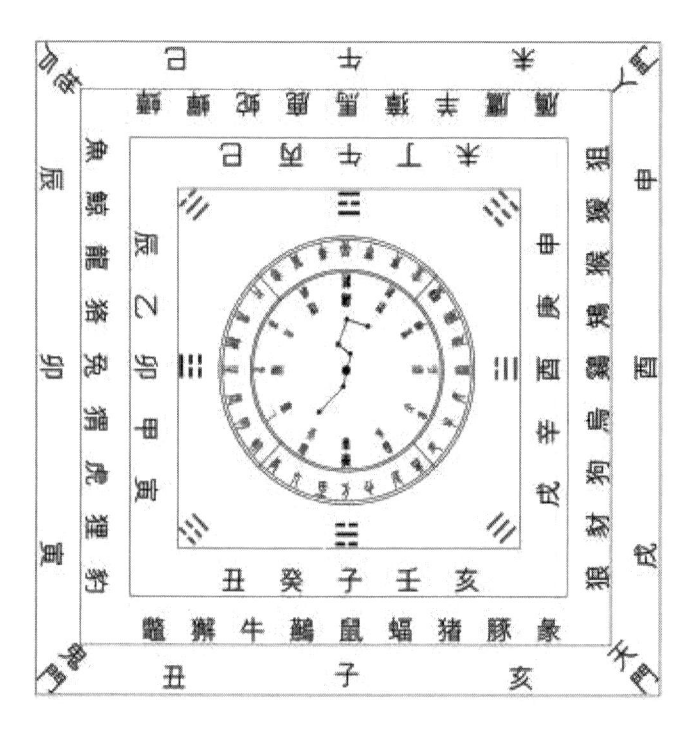

제30 조식의 천지반

景祐六壬神定經 御製序

夫明陰陽之體者，神惟不測，察變化之道者，妙用無方. 所以聖人因之以極其藝，索其蒙於至隨，窮其妙於至微. 黃帝繇是獲玄女之符，平蚩尤之亂，動靜以之而倚類，吉凶用此而求端，畫國萬區，畏威三百，非六壬之制孰能與於此哉. 朕俯觀人文，深維政本. 心欲憲黃帝之道，謹乃經常，未始言霸王之謀，雜乎邦教. 雖五兵不試，任弓矢之載櫜，而諸子之言，豈筌蹄之可忘.

眷茲四課之術，原於緯候之書，將使導民用於前知，因神武前不殺，所以取其衆謚，裁為一家，乃命太子洗馬兼 春官 正權同 判司大監 楊維德，司天春官 王正立，翰林天官文學正字 何諶 等選集，又遣命 內侍省 東頭供奉官符 勾當 御樂院 任承亮，鄧保，皇市繼和 周維德 等 總其工程，給資善堂庀事，數月書成.

六壬之要. 其數頗多. 今乃以古之著言者，以天地日月之本源. 五行四時之運轉，協於五音之氣，關諸六情之正，定以晝夜之分，揆其晷影之度，按所直之神將，定可驗之災祥，凡若干支，列之爲首，又以古言為將之宜，出師之要，伐謀而制勝，結營而對敵，或為主而爲客，或以攻而爲守，慮成於此，事應於彼，凡若此者，又或次之，至於制邦之法，開物成務，有所動作，質諸鬼明，率由於斯，均係於此. 攻乎異端者悶取，本於聖道者畢收，其辭文，其旨遠，凡成一十卷，因命之曰景祐六壬神定經惟王者之御天下也, 務知共大者遠者, 臨邦政也, 在究乎惟機惟時, 矧茲神式之言, 肇從薛祖之制, 垂之於後, 可以稽疑. 朕拳命以周旋, 豈敢失墜, 以之輔治, 疇日不然. 昔漢校尉任寵校兵書, 太史尹咸校術數, 每一書成, 輒錄以開. 今所梭讐, 亦由斯義. 藏之金匱, 以永皇圖, 序以冠篇, 翼傳來裔云腐.

景祐六壬神定經　跋[116]

楊維德六壬神定經，久不見著錄，撝叔于都市得明鈔殘帙二卷視予．其中釋擘度，日度諸篇，以日所差分，定月將起訖，不徒如今世用中氣法，餘皆臚舉舊文，無南宋後術士意造之言，可貴也．

양위덕의 《육임신정경》은 오랜시간 저술된 것으로 보이지는 않는다. 휘숙[117]이 도시에서 현묘해 보이는 고서 2권을 보았고, 그 중 벽도와 일도를 설명한 부분에서 날을 나누어 월장의 기한을 정하는 것이 요즘 사용하는 중기법을 사용할 뿐만 아니라, 나머지도 모두 옛 글을 열거한 것이고, 남송 이후의 술사가 만든 말이 없어 귀해 보였다.

自先後天說行，易首受其禍，支流餘裔，波及壬遁諸家．著書者，類牽合陳邵以自重，而古法亡矣．安得此書全出，舉其大要以正術師也，同治乙丑十一月己卯，戴望記．

선후천설(先後天說) 이후 주역이 재앙를 먼저 입었고 지류인 후에 임둔(壬遁)이 여러 곳에 보급되었다. 저서들이 진소[118]의 의견을 끌어와 합치니 고법을 잃어버렸다. 정단을 내리는 법이 이 책에 전부 나와 있으니 대

---

116) 경유육임신정경의 머리글을 부록으로 번역해 넣었다. 청나라 말기 회계 조지겸이 쓴 것이다. 2014년 상해도서관에서 10권 전부가 발견되기 전까지는 상하 두권이 전부인 것으로 생각되었다.

117) 중국 청나라 말기 서화가이며, 호(號)는 휘숙(撝叔), 비암(悲盦), 무민(無悶), 자(字)는 익보(益甫), 회계(會稽) 사람이다.

118) 진단과 소옹을 말한다. 소옹은 소강절로 널리 알려진 사람이다. 진박-충박-목수-이지재-소옹으로 연결되어 소옹의 학문이 진단으로부터 출발한다고 하여 진소라 말하였다. 주희는 주역본의에 "이상의 복희의 선천사도는 그 학설이 모두 소 씨에게서 나온 것이다. 소 씨는 이지재로 부터 그 설을 얻었으며, 이지재는 목수에게서 얻었고, 목수는 화산의 의이선생 진단으로 얻은 것이니 이른바 선천의 학문이라는 것이다"라고 하였다. 주자는 주염계, 정명도, 정이천과 더불어 소강절을 도학의 중심인물로 간주하였다.

략 애기하자면 올바른 술사가 명나라 동치제 을축 11월 기묘일에 기록하였다.

景祐六壬神定經殘帙二卷, 明人寫本, 同治乙丑二月, 以錢五百易之敞肆故紙堆中. 按神定經十卷, 楊維德等撰, 見鄭氏通志藝文略, 宋史藝文志同. 此書前有仁宗御製序, 其下 結銜 稱奉旨撰集.

경우육임신정경 2권은 명나라 동치제 을축 2월의 본이다. 종이더미에 널려 있는 까닭에 오백석 돈으로 바꾸었다. 신정경 10권을 살펴보니 양유덕 등이 찬하였으며, 정씨통지·예문략, 송사·예문지도 보인다. 이 책 앞에는 인종(仁宗) 어제서[119](御製序)가 있고, 그 아래 문서에 관해서 밝히기를 임금의 명을 받들어 찬집(奉撰集集)하였다고 밝히고 있다.

志, 於維德撰書, 尚有景祐遁甲符應經(列名, 楊維德, 王立翰 等), 景祐三式太一福應集要(列名, 楊維德, 王立翰, 李自立, 何湛等), 及七曜神氣經.

양유덕이 저술한 책으로 기록된 것은 경우둔갑부응경(양유덕, 왕립한 등), 경우삼식태일복응집요(양위덕, 왕립한, 이자립, 하잔 등)과 칠요신기경이 있다.

直齋書錄解題, 僅有遁甲(題爲遁甲玉函符應經), 太一(題爲太一福應集要), 兩書, 而不及六壬, 七曜. 馬氏通考乃據直齊錄入, 又言字多譌, 未有他本可校, 是當時已鮮善本. 此書又自宋以後藏書家絕不著錄, 今諸書皆亡, 而此存什一, 不可爲非幸也.

『직재서록해제』에는 둔갑(제목은 둔갑옥함부응경), 태일(제목은 태일복응집요) 등 두 책이 있으나, 육임, 칠요에는 미치지 못한다. 마씨통고와 언급된 직재 기록에 의하면, 틀린 글자가 많으나, 교정할 수 있는 타본이 없으니 이는 당시도 이미 보기 드문 책이었을 것이다. 이 책은 또 송대 이후 장서가에게는 사라지고 저술되지 않았으나, 지금 모든 책이 사라지고 여기

---

119) 어제서: 임금에게 바치는 서문

한 권이 남았으니 다행이라 아니 할 수 없다.

書中稱引古說, 如費直, 虞喜, 陳卓, 樂產諸家, 雖一二語, 亦徵異聞. 其稱黃帝者, 不見於龍首金匱玉衡諸經, 稱元女者, 不見於授三子經, 稱金匱靈轄者, 疑卽樂產之金匱經, 神樞靈轄經, 稱集靈經者, 疑卽黃帝集靈, 今皆不可考.
책에서 인용한 옛 설들인, 비직, 우희, 진탁, 낙산제가는 비록 한두 마디이지만, 다르게 들린다. 황제라 칭하는 것은 용수금궤옥형제경에서 볼 수 없고, 현녀라 칭하는 것도 수삼자경에서 볼 수 없다. 금궤영할이라는 것은 낙산의 금궤경, 신추영할경으로 의심되고, 집령경이라는 것은 황제집령으로 의심되나, 오늘날 모두 알 수 없다.

也引緯候, 白虎通, 新論, 物理論, 月令章句, 說文, 釋名諸書, 考訂羣籍, 證之本書, 不無譌謬. 蓋維德術士, 非知讀書, 增減迻易, 意爲出入,
만약 위후, 백호통, 신론, 물리론, 월령장구, 설문, 석명 등 모든 책을 인용하여 본서의 증명으로 많은 책으로 고정[120]하고자 한다면, 오류가 없지는 않을 것이다. 대저 유덕술사가 책을 읽었는지 알지 못하지만, 옮기며 늘거나 줄었을 것이므로 뜻에 들고 나감이 있을 것이다.

(胡甘伯曰: 釋五行篇, 引許愼說, 惟木字與說文合, 火燬也, 燬爲熤之譌, 水準、木冒、金禁, 同聲相訓, 不應火義獨異. 其曰水準也平也, 乃牽合, 释名金禁也云云, 又誤以釋名爲說文, 且不引 釋天氣剛毅能禁制物之訓, 而用释兵之金鼓以爲進退之禁, 尤爲疏舛. 它類此者尙夥.) 由庸致妄, 職咎在是.

---

120) 살펴 교정하는 것

(호감백이 말하기를 석오행편에 허신의 설을 인용하여 말하는데 오직 木자만 설문과 합치되고, 火은 태우는 것이고, 태우는 것은 훼손이라고 잘못 가르치고, 수의 평탄함, 목의 무성함, 금의 막음 등도 같은 말로 가르쳐야 하는데 火만 뜻을 다르게 해서는 안된다. 그는 水는 準이고 平이라고 끌어다 합치고, 석명에서 金은 禁이라고 운운하기도 하고, 또 석명을 설문으로 잘못 쓰거나, 석천편에서 기는 단단하여 능히 만물을 다스린다고 가르치는 것이나, 석병편에서 쇠북이 진퇴를 막는데 쓰인다고 한 부분은 특히 허술하다. 다른 것도 이 같은 것이 많다.) 그럼에도 당당하게 속이니 직책에 허물이 있는 것이다.

然可见曩时撰書, 猶守古法, 非務游談, 特其才薄智拙, 不審同異, 罔擇從違, 轉啓瑕舋, 爲世詬病. 厥後秘府遺籍, 可議焚棄, 新說萌芽, 末流彌甚, 亦中於此, 言不可不慎信矣.
그러나 옛날을 기억하고, 오직 옛 법을 지키며, 여담에 종사하지 않았음을 알 수 있으며, 특히 재주가 박하고 치졸하여, 같고 다름을 살피지 않으니, 그물을 택하여 틀린 것을 따르니, 트집을 잡아 세상의 지탄을 받았다. 그 이후 비부의 남은 문서는 불사르고, 새로운 설이 싹트니, 말류가 더욱 심하여, 또한 여기에 속하니, 말을 신중히 믿지 않으면 안 된다.

存此使遺文墜簡, 猶具崖略, 亦足驗學術盛衰之機也.
이것을 보관하여 유서를 부간하니, 여전히 애략이 있어, 학술의 성쇠의 기회로 시험하기에 족하다.

會稽 趙之謙
회계 조지겸